DÁ PRA
SER FELIZ...
APESAR
DO MEDO

Dados Internacionais de Catalogação na Publicação (CIP)
(Câmara Brasileira do Livro, SP, Brasil)

Gikovate, Flávio, 1943–
    Dá pra ser feliz... Apesar do medo / Flávio Gikovate. – São Paulo :
MG Editores, 2007.

    ISBN 978-85-7255-049-9

    1. Amor 2. Felicidade 3. Medo 4. Psicologia clínica 5. Psiquiatria
– Aspectos morais e éticos 6. Relações interpessoais I. Título.

06-9509   CDD-158.1

            Índice para catálogo sistemático:

        1. Felicidade : Psicologia aplicada   158.1

DÁ PRA SER FELIZ... APESAR DO MEDO

Flávio Gikovate

MG EDITORES

MG Editores
Departamento editorial:
Rua Itapicuru, 613 – 7º andar
05006-000 – São Paulo – SP
Fone: (11) 3872-3322
Fax: (11) 3872-7476
http://www.mgeditores.com.br
e-mail: mg@mgeditores.com.br

Atendimento ao consumidor:
Summus Editorial
Fone: (11) 3865-9890

Vendas por atacado:
Fone: (11) 3873-8638
Fax: (11) 3872-7476
e-mail: vendas@summus.com.br

Impresso no Brasil

sumário

Dá pra ser feliz... Apesar do medo

Apesar de ser psiquiatra por formação, sempre me interessei por psicologia normal. Creio que isso se deu porque desde o início da atividade clínica percebi que as pessoas comuns, as que não são portadoras de nenhuma patologia específica, são muito infelizes. É verdade que a grande maioria dos humanos é infeliz porque não tem condições materiais mínimas, o que lhes bloqueia o acesso a saúde, educação, moradia digna e alimentação adequada. Acontece que aqueles com boas condições materiais também são infelizes, mesmo que olhemos apenas por este aspecto: sentem inveja dos que têm mais do que eles, ainda que não necessitem de nada.

Muitas pessoas são infelizes porque gostariam de ser mais bonitas, mais altas e magras, mais inteligentes. Queriam ser mais alguma coisa. Outras tantas — quase todas — são infelizes porque estão sozinhas ou mal acompanhadas e não sabem como sair de seus impasses sentimentais. Outras lamentam a falta de uma vida sexual mais exuberante e cheia de emoções fortes. Umas sonham com um trabalho excitante e glamouroso; outras, com uma vida livre e descompromissada, sem horários rígidos e sem patrões.

Triste é constatar que elas não fazem quase nada para encaminhar a vida na direção de seus sonhos,

Dá pra ser feliz

Flávio Gikovate

uma vez que teriam meios efetivos para tentar concretizá-los. No caso inverso, quando deveriam aceitar a realidade tal como ela é e parar de sofrer por não serem, por exemplo, tão bonitas — de acordo com os padrões da moda atual —, também impressiona perceber que pessoas inteligentes e bem preparadas insistem em continuar sofrendo por força de propriedades irreversíveis e irrelevantes.

Não há como deixar de considerar a hipótese de que as pessoas precisam sofrer, precisam se sentir frustradas e infelizes. Sonham com a felicidade, mas precisam da infelicidade. Tudo leva a supor a existência de um importante fator antifelicidade no seio de nossa subjetividade. Venho apontando nessa direção há quase trinta anos, e o passar do tempo só tem confirmado a hipótese que formulei no final dos anos 1970 a propósito da existência de um elemento antiamor em nossa mente.

O mecanismo antifelicidade perturba muito a realização amorosa de qualidade, assim como dificulta a concretização de qualquer outro projeto que cada um de nós venha a construir para si. Pode inclusive interferir na elaboração dos projetos, induzindo-nos a erros grosseiros que depois nos levarão para perto do abismo. Não acho que se possa considerar desprezível a presença de um "inimigo" dessa magnitude atuando em nosso sistema de pensamentos. Não é à toa que quase todos nós temos sido pessoas essencialmente frustradas e infelizes.

Afinal de contas, em que consiste nossa felicidade? Como conseguiremos pensar com objetividade e clare-

za sobre o tema se sentimos dentro de nós um impulso que nos induz ao erro e, portanto, à infelicidade? Como saber se estamos ou não sob a influência sutil desse demônio interno que nos sugerirá sempre o pior caminho? Como agir para nos livrarmos desse elemento antifelicidade que nos habita? Será que existem pessoas que não têm esse "dispositivo" autodestrutivo?

Questões como essas têm ocupado meus dias — e muitas de minhas noites — ao longo das décadas de trabalho que se seguiram às primeiras observações sobre o tema. Não sei respondê-las de forma definitiva, até porque em ciência não existem respostas definitivas. Meu caminho tem sido sempre o mesmo: ando pelo espaço que existe entre a biologia (especialmente a relacionada com a atividade de nosso sistema nervoso central), as ciências sociais e a filosofia (que tratam da forma como usamos nosso equipamento biológico). Como tenho pensado essencialmente nas pessoas que não são portadoras de distúrbios biológicos, estarei mais próximo das questões existenciais do que em outros momentos.

Fazendo um balanço acerca dos livros que escrevi, percebo a presença de algumas constantes, sendo uma delas a preocupação com a questão da liberdade humana, com nosso direito de pensar e de tentar agir por conta própria. Temos de buscar sempre as forças necessárias para neutralizar ao máximo as pressões que sofremos de fora para dentro. Elas são geradas por força de múltiplos — e nem sempre muito idôneos — interesses. Acredito que o totalitarismo próprio das estruturas sociais oligárquicas apenas se sofisticou, de modo que agora as ordens nos são dadas como se fossem simples sugestões. É evidente o papel da mídia e, em particular, da publicidade nesse novo modo de nos escravizar. Apesar de sabermos disso, temos tido pouca força para resistir às pressões que nos levam a agir de uma forma que não escolhemos e que nem sempre corresponde aos nossos verdadeiros interesses. **Só me interesso por soluções que possam ser aplicadas por todos os membros de uma comunidade. Só me interesso pelo que chamo de felicidades democráticas: aquelas aquisições que não são excludentes.** Não me interesso muito pela riqueza, pela beleza e pela ambição que conduzem a resultados extraordinários. Sei que elas podem fazer bem à vaidade de seus portadores, mas sei também que condenam à infelicidade a grande maioria das pessoas que jamais poderá tê-las. Não valorizo nem respeito sistemas sociais e políticos que pregam e estimulam a busca dessas qualidades raras. Não me encantam a renúncia exagerada, a erudição extraordinária, assim como a magreza ou a riqueza. Sei apreciar todas essas propriedades, mas não posso deixar de imaginar a dor que elas provocam no resto das pessoas de uma comunidade em que nem todos são competentes para exercê-las de forma assim radical.

Posso muito bem imaginar uma comunidade em que as pessoas se orgulhem de ser honestas, de levar um estilo de vida que não se baseie na exploração de terceiros, de cultivar uma vida amorosa bem-sucedida e acoplada a

uma vida sexual gratificante. Que apreciem suas músicas, seus filmes preferidos, seus esportes. Imagino todos em condições de assistir e praticar esportes sem que se tornem exímios atletas. Por sinal, interessa-me conhecer as razões que levam os campeões a ser criaturas com menos medo de ser felizes, a fim de extrair conhecimentos que possam ser utilizados para o bem de todos.

As reflexões deste livro tratam das felicidades democráticas, aquelas acessíveis a todos nós. Tratam também das razões íntimas que têm nos impedido de viver tão bem quanto gostaríamos.

A FELICIDADE

1

um

Ao pensarmos sobre nossa condição psicológica e sobre as sociedades que criamos, sempre deparamos com dualidades. Parece que temos constantemente de escolher entre posições antagônicas: ou sou uma pessoa casada, escrava do amor e dos compromissos, e me ressinto da falta de liberdade própria dos que estão solteiros ou sou livre e sonho com as delícias do amor e da vida em família. Os solteiros querem se casar e os casados querem ser descompromissados.

A dualidade também se manifesta no plano da moral: ou estamos do lado do bem, da generosidade, caridade e tolerância, ou somos do mal, egoístas, oportunistas e raivosos. Nesse aspecto, cada criança parece ser forçada a "escolher" muito cedo a que tipo humano pertencerá — uma vez que a regra é que o pai seja de um jeito e a mãe, de outro. Crescemos expostos à idéia de que o mundo é bipolar, dual. Aprendemos que existe o amor, que ele está em oposição ao ódio e que ambos nos pertencem de modo definitivo — biológico, instintivo — e inexorável.

A posição final de Freud a respeito do assunto acabou sendo a do dualismo; isso após vários titubeios. Ele acabou optando pela hipótese de que teríamos dois instintos. Um é o instinto de vida, essencialmente representa-

do por nossa sexualidade, que nos impulsiona para a ação, para a construção, para o amor, para a reprodução e para a perpetuação da espécie. O outro, chamado por ele de instinto de morte, é representado pela forte tendência, presente em todos nós, à inação, ao repouso, à busca de um estado inerte próprio da criatura morta. Nossas forças destrutivas e autodestrutivas seriam a mais clara manifestação desse instinto que nos impulsiona para a morte. **No limite, as condutas autodestrutivas poderiam determinar a plena realização do instinto de morte, o que causaria nossa destruição total.**

A vida implicaria, pois, uma disputa íntima permanente na qual as forças construtivas e destrutivas se digladiam até encontrar um ponto de equilíbrio mais ou menos construtivo conforme a psicologia de cada pessoa em determinado momento da vida. Essa hipótese teórica está de acordo, não há dúvidas, com aquilo que se pode observar na prática clínica cotidiana e que já registrei acima. **Quero ressaltar de modo especial o fato de que essa importante força autodestrutiva que sabota nossas conquistas manifesta-se de forma mais evidente e intensa quanto maiores forem nossos bons resultados.**

A destrutividade apresenta-se de diversas formas, todas mais ou menos sutis. Uma delas merece registro desde já por ser bastante esclarecedora. Trata-se da negligência e acomodação que costuma nos acometer quando chegamos a um bom resultado. Um exemplo extraído do futebol: quando um time está vencendo por 2 × 0 aos trinta minutos do segundo tempo, surge uma tendência a relaxar e a assumir que a partida está ganha. Claro que não é fácil fazer dois gols em poucos minutos num time que demonstrou superioridade durante os 75 minutos anteriores. O time que está perdendo tende a ir para o tudo ou nada, já que a diferença entre perder por 2×0 ou por 4×0 não é relevante. Esse time vai para o ataque com vigor e pode até fazer um gol — inclusive porque o adversário se desarmou. Se isso acontecer, ganhará confiança, enquanto o time que estava acomodado no bom resultado ficará perplexo e se desorganizará. Caso o time que estava ganhando não consiga se recuperar rapidamente — o que não é nada fácil —, o jogo poderá terminar empatado ou até mesmo com o resultado final invertido. A acomodação estava a serviço da destrutividade!

Acho essencial afirmar que a plena conscientização dos processos autodestrutivos é extremamente importante. Quem não sabe da existência do mecanismo é vítima fácil desse inimigo que se encontra alojado no seio de nossa subjetividade. Daí a tese, defendida por vários autores, de que nossos maiores inimigos estão dentro de nós — e não fora, como costumam pensar os mais ingênuos.

A idéia de que somos seres influenciados por duas tendências antagônicas está em óbvia sintonia com os fatos que observamos o tempo todo. Sua natureza instintiva é uma hipótese teórica que merece, a meu ver, um questionamento mais sofisticado. É complicado aceitar a existência de uma força que nos impulsiona para a

para a morte, já que não sabemos exatamente como ela é. Acho que a idéia de dois instintos com nomes assim pomposos mais agradou aos ouvidos eruditos do que nos ajudou a aprofundar a compreensão dos fatos. Além disso, essa hipótese é um tanto fatalista e definitiva, uma vez que jamais conseguiremos superar totalmente a dualidade porque ela faria parte da nossa natureza, da nossa biologia. Esta costuma ser a postura da maior parte dos pensadores quando deparam com um obstáculo que não conseguem ultrapassar. Eu já cometi esse erro várias vezes no passado e sei que não fui o único a fazê-lo. Hoje, sempre que me encontro diante de um dilema aparentemente insolúvel, reconheço minhas limitações; elas derivam de eu não ser capaz de pensar melhor naquele momento. Considero que alguém — ou eu mesmo — em algum momento futuro vai conseguir encontrar a solução para o problema.

Não se trata, pois, de desenvolver um otimismo simplista e ingênuo. Trata-se de não cultivar um pessimismo arrogante, fundado na idéia de que aquilo que não consigo resolver agora jamais terá solução. Isso é mais grave do que pode parecer à primeira vista, pois os que aderem a esse ponto de vista não se empenham em resolver as questões pendentes e apenas as cultivam com aquele ar de superioridade próprio de quem acredita ter atingido o fundo do poço; o resultado é a estagnação daquele processo de conhecimento, que passa a ser tratado como uma verdade definitiva. **A ciência é como um filme que nunca acaba, e a cada momento estamos**

vivendo um de seus inúmeros fotogramas. O que sabemos e defendemos com vigor em certo momento poderá se mostrar tolo ou insuficiente logo adiante. Assim, um dos requisitos fundamentais do verdadeiro cientista é a humildade. Ela se baseia na certeza de que as nossas mais sólidas convicções se diluirão em algum momento do futuro.

Saem de cena o pessimismo e a arrogância. Entram o otimismo e a humildade.

dois

Parto da convicção de que não somos criaturas obrigatoriamente divididas entre um anjo da guarda e um demônio particulares. **Defendo, do ponto de vista teórico, uma visão monista, ou seja, a de que somos capazes de viver num estado de serenidade governado apenas por uma tendência íntima, o que não significa que tenhamos apenas uma força instintiva. Somos seres complexos e, graças a nossa incrível capacidade de mudança, poderemos arranjar nossas múltiplas peculiaridades de forma harmoniosa, cuja resultante nos impulsione numa única direção.** Temos impulsos instintivos eróticos e agressivos. Temos medos. Temos um cérebro que nos permitiu a construção de um sistema complexo de pensamentos que opera com autonomia e corresponde ao que sempre se chamou de alma (ou mente). A mente reflete sobre o ambiente externo no qual vivemos e que nos chega por meio dos órgãos dos sentidos. Ela tem capacidades interessantíssimas, como a de fazer avaliações e juízos acerca do que é bom ou mau, melhor ou pior. A mente nos dá a capacidade de imaginar situações ou "realidades" que não existem. Algumas delas podem se transformar em hipóteses, em algo que supomos que um dia possa vir a ser real. Isso nos tem levado a ações possíveis de gerar, ao longo do tempo, novos fatos capazes de transformar o meio no qual estamos inseridos. Nossa realidade exterior está sempre em mudança graças às ações que derivam das idéias que formulamos. Essa nova realidade imporá alterações à nossa mente, e isso gerará novas idéias, que reiniciarão o ciclo, de modo que não sabemos aonde — e se — vamos parar.

Periodicamente nos vemos enredados em dualidades que nos parecem irreversíveis. Já enfrentei algumas ao longo das décadas de atividade profissional. Eram dualidades milenares que pareciam definitivas. Porém, graças ao processo evolutivo descrito anteriormente, as mudanças que produzimos em nosso hábitat criaram as condições para superar dilemas que pareciam insolúveis.

Os exemplos me ajudarão a tentar explicar exatamente como penso. O primeiro dilema com o qual deparei dizia respeito, ainda nos anos 1960, aos anseios de liberdade sexual (desejo de múltiplos parceiros para homens e mulheres), que cresceram muito a partir do surgimento dos modernos recursos anticoncepcionais. Tais anseios estavam em franca oposição aos desejos igualmente fortes de relacionamentos amorosos mais intensos do que os existentes nos casamentos tradicionais — que tendem a ser possessivos e ciumentos. Parecia que estávamos diante de um obstáculo intransponível, ou seja, que a plena realização amorosa implicaria forçosamente renúncia à liberdade sexual, fruto de um desejo que transborda as fronteiras do amor — principalmente

nos homens. A outra solução, a que favorecia a liberdade sexual, implicava morte da família e fim dos vínculos amorosos. As pessoas buscavam as duas coisas. Não queriam mais escolher. Não estavam mais dispostas às renúncias sexuais que faziam parte de nossa história, posto que estas não pareciam necessárias à estabilidade da vida em sociedade.

Ao mesmo tempo, não queriam nem conseguiriam renunciar ao amor e ao aconchego da vida familiar. Nos trinta anos que se seguiram, tentou-se de tudo com o intuito de conciliar os anseios amorosos com os de liberdade — estes últimos cada vez mais fortes e significando mais que "apenas" liberdade sexual. Tentou-se o "casamento aberto", no qual os casais autorizavam seus cônjuges a ter intimidades físicas com esse ou aquele parceiro desde que isso não implicasse envolvimento amoroso. Era uma espécie de liberdade consentida e vigiada. Tentou-se o suingue: o casal ia junto para locais de encontros eróticos com outros casais e cada um ficava "livre" sob a guarda dos cônjuges, que a tudo presenciavam (o que, muitas vezes, era bem excitante). A prática resultou em divórcios e casamentos com diferentes parceiros que duravam o tempo em que a fidelidade sexual sustentava-se com mais facilidade devido à novidade.

Mais recentemente surgiu um novo tipo de tentativa de solução para o dilema. Trata-se do sexo virtual, da internet e dos bate-papos — ricos em erotismo —, em que não raramente acontecem "relações sexuais" no plano da imaginação. A maior parte das pessoas não sabe

muito bem como avaliar esse tipo de evento. Ficam muito incomodadas quando surgem envolvimentos amorosos (o que não é nada raro), e quando as trocas são exclusivamente eróticas não sabem se devem ou não aceitá-las como se fosse uma espécie de masturbação — esta sim tolerada, ainda que seu exercício sempre tenha sido cercado por total discrição.

O tema é complexo e este não é o lugar para aprofundá-lo. O fato é que estamos assistindo ao surgimento de algumas variáveis que nos permitem vislumbrar uma solução interessantíssima para o dilema que tanto tem atormentado a geração que se tornou adulta nos anos 1950 e 1960. O amor romântico vem se modificando em decorrência do individualismo crescente (fruto do avanço tecnológico, produzido por nossa espécie, que cria condições para uma vida pessoal mais rica). Cresce o número de pessoas que não vêem mais o amor como a fusão de dois seres incompletos e sim como a aproximação de duas criaturas inteiras, de dois indivíduos. Nessa condição, a dependência diminui e a liberdade de locomoção de cada um aumenta. A individualidade mais bem constituída é naturalmente menos possessiva, insegura e ciumenta — desde que a união sentimental se dê entre pessoas confiáveis, pré-requisito para relações amorosas de boa qualidade.

Do ponto de vista sexual, as novidades também foram muitas. A indústria erótica e pornográfica tem exposto seu material de forma ampla e ostensiva. Estamos presenciando, em parte graças a isso, uma liberdade muito maior nas práticas sexuais entre os casais unidos sentimentalmente. Além disso, a curiosidade acerca da vida sexual das outras pessoas está bastante saciada — e, por isso mesmo, diminuída. Os adolescentes estão crescendo nesse ambiente de "fartura" e têm demonstrado um interesse decrescente na busca de relações reais com prostitutas ou mulheres que não tenham importância sentimental. O sexo virtual e a masturbação parecem cada vez mais atraentes que o sexo sem compromisso (especialmente para os rapazes, talvez mais sensíveis aos estímulos visuais). Esse sonho, milenar, de uma vida sexual múltipla e desregulamentada vem se desfazendo em virtude de não ser tão bem-sucedido na prática: as pessoas se aborrecem muito, depois de satisfeitas, até conseguirem se livrar de um parceiro que interessava apenas para fins sexuais.

A verdade é que diminuiu o interesse por práticas sexuais fora dos relacionamentos afetivos. Isso tem amenizado sobremaneira a tensão entre os desejos sexuais — muito menos intensos quando fora dos elos amorosos — e os anseios românticos, crescentes desde que atualizados à nova realidade. O que parecia insolúvel se mostra possível porque o anseio erótico múltiplo decresceu, assim como a possessividade entre os que se amam de forma mais madura e adequada aos tempos. Essa nova postura permite um aumento da liberdade, sem prejuízo da boa relação amorosa — até porque "liberdade" deixou de ser sinônimo de "liberdade sexual". Os casais que se dão bem não se sen-

tem mais obrigados às constantes concessões para estar sempre juntos em locais de interesse de apenas um deles. Não se sentem nem mesmo obrigados a dormir no mesmo quarto quando as incompatibilidades noturnas são grandes. **Aqui também está acontecendo uma mudança importante e essencial: sai de cena a palavra "concessão" e entra em cena a palavra "respeito".**

3

três

Outro exemplo de dilema que parecia insolúvel é o seguinte: nossa dualidade moral sempre foi tratada como inexorável por ser a forma de expressão de duas divindades que nunca conseguiram destruir uma à outra. Assim, sempre existiram pessoas mais imaturas (egoístas) e outras mais maduras psicológica e espiritualmente (generosas). Os generosos são aqueles que dão mais do que recebem, e os egoístas são os que ficam com o excedente. Tudo isso tem sido tratado como inevitável e definitivo. Até recentemente, inclusive, era visto como adequado, sendo que as alianças conjugais deveriam se basear na união de uma pessoa de "tipo" esgoísta com outra de "tipo" generoso. Os filhos os tomariam como exemplos, de modo que alguns "puxariam" ao pai e outros à mãe, perpetuando-se assim a dualidade.

Os generosos sempre foram vistos como os mais virtuosos, apesar de algumas posturas invejosas e fracas diante dos egoístas, mais agressivos e competentes para as brigas. Sempre vi problema na inveja que os "superiores" sentem dos "inferiores", posto que se trata de óbvio paradoxo. A partir daí fui me familiarizando com o que chamei de "trama diabólica", na qual a recíproca admiração e inveja, associada à mútua dependência, revelou as falácias da generosidade — que

não passa de outro tipo de fraqueza e imaturidade emocional. Se os egoístas lidam mal com as frustrações e contrariedades da vida, os generosos não sabem lidar com os sentimentos de culpa. São fraquezas comparáveis e determinam a estagnação da evolução emocional e moral em ambos os tipos humanos.

A maior parte das pessoas pensa em soluções intermediárias, nas quais os egoístas deveriam se tornar mais generosos e estes, mais egoístas. Isso aconteceria se os egoístas viessem a desenvolver sentimentos de culpa e os generosos tolerassem menos as frustrações e se revoltassem mais contra elas. Deveriam deixar de dizer "sim" quando desejam mesmo é dizer "não". Egoístas e generosos se encontrariam num ponto intermediário em que a balança da justiça se equilibraria. Esse tipo de solução conciliadora entre os dois pólos, que continuam inalterados — porque seriam inexoráveis —, parece um pouco a idéia do casamento aberto, que também conciliaria o desejo amoroso de fusão possessiva com uma relativa liberdade sexual.

Pode ser que as etapas de conciliação entre duas tendências fortes que existem dentro de nós façam parte do processo evolutivo. Não penso, porém, que devam ser consideradas soluções finais e muito menos que sejam boas soluções. Pelo fato de implicarem um tipo de acordo — um compromisso — entre duas tendências fortes, elas determinam obrigatoriamente uma certa tensão interna. **A verdadeira solução será encontrada, segundo meu modo de pensar, em algum lugar que está além do egoísmo e da generosidade, e não num ponto interme-**

diário entre eles. O "meu" ser humano justo será aquele que for competente para tolerar bem as contrariedades e frustrações e também para não padecer de sentimentos de culpa — especialmente os indevidos. Será um ser livre que não se deixará frear por nada a não ser por sua própria razão, por seu discernimento. Não diz SIM sempre e nem sempre diz NÃO. Sua atitude varia conforme o caso e de acordo com a avaliação que faz de cada situação em determinado momento da vida.

O homem justo — que, infelizmente, ainda não existe e faz parte do mundo imaginário — não está dividido entre duas tendências, equilibrando-se entre elas. Está além delas. Sua razão o governa e é ela que guia seus passos em todas as áreas, inclusive naquelas relacionadas com sua vida amorosa e sexual. O justo sabe a hora de agir e a hora de ficar parado. Sabe abrir mão e sabe reivindicar. Sabe lutar e sabe fugir. Sua razão controla quase tudo, inclusive a sexualidade, a agressividade e os medos. Não terá nem mesmo medo do amor, porque não tem medo de deixar de ser livre — pois jamais se deixaria dominar por chantagens emocionais.

São mais que evidentes as dificuldades a serem superadas para chegarmos a esse estágio de evolução moral. **Mas é possível, sim, superar os sentimentos de culpa indevidos, assim como é possível aprender a lidar melhor com as frustrações.** A meta a ser perseguida tem de ser essa, e faremos a parte da caminhada que conseguirmos. **Essa seria uma visão monista da moral. Penso de forma positiva e otimista porque acredito que poderemos chegar lá num futuro próximo.**

Flávio Gikovate

Penso num homem constituído por um único bloco rico em ingredientes variados, cada um com suas peculiaridades. Esse homem íntegro se governa por princípios que emanam de sua razão, sendo que a principal tarefa dela é conciliar as inquietações que sempre o alcançarão. Isso não significa que somos divididos. Significa que somos criaturas complexas, dotadas de uma multiplicidade de ingredientes internos e influenciadas continuamente pelo meio externo. Operar com tantas variáveis e decidir o que é melhor para nós a cada momento é tarefa mais que interessante.

Voltando ao nosso tema, penso de forma parecida em relação à questão da felicidade e do medo que nos assola quando conseguimos algum sucesso. Isso vem nos atormentando ao longo dos milênios, embora algumas pessoas ainda subestimem a importância do medo que a felicidade provoca. Não me agrada a idéia dualista da psicanálise — que, em princípio, crê na tese de que temos um anjo da guarda e um demônio particulares. Tenho buscado encontrar outras explicações para as tendências autodestrutivas que nos acompanham e para a dualidade que elas determinam. Acho mais compatível com o pensamento científico supor que eventualmente poderemos encontrar explicações e soluções mais interessantes do que as que nos governam hoje. O objetivo é sempre o mesmo: aumentar a cota de bem-estar e felicidade à nossa disposição. Nada de conformismo nem de ingenuidade.

4 quatro

Tenho me empenhado muito em trabalhar para que as palavras sejam usadas com um sentido único, claro e preciso. Sinto medo e me preocupo quando vejo a mesma palavra ser usada com mais de um sentido, pois isso está sempre a serviço das piores causas. Digo isso justamente quando me preparo para conceituar o que exatamente é a felicidade. A palavra costuma ser usada com dois significados diferentes: como expressão do intenso prazer que sentimos quando alcançamos algum objetivo muito desejado e perseguido por longo tempo; ou como expressão genérica e um tanto abstrata. No primeiro caso, dizemos que **estamos felizes**. No segundo, que **somos felizes**.

A alegria derivada de uma conquista corresponde a um estado de exaltação e dura certo tempo. Não é possível que a vivenciemos permanentemente porque a alegria só se manifesta durante o período de transição de uma situação pior para outra melhor. É da natureza de nossa mente registrar as transições de modo enfático — tanto as positivas, alegres, como as negativas, tristes e dolorosas — para depois passar para uma fase de acomodação ao novo patamar. Não nos alegramos todos os dias por estar fisicamente bem; só ficamos felizes quando recuperamos a saúde após um período de doença. Tudo leva a crer que o cérebro se ocupa essencialmente das situações novas, tanto positivas quanto negativass. Nossa atenção vai para o que é extraordinário, incomum. Negligenciamos o que é constante. Somos um tanto displicentes com o que é antigo, cotidiano.

Quando pensamos de forma ampla a nosso respeito e concluímos que tivemos, ao longo dos anos, uma condição existencial bastante agradável, dizemos que somos pessoas felizes. Chegamos a isso pela via da reflexão e não em virtude de alguma conquista recente. Pensamos no conjunto da nossa história e notamos ter tido uma cota bastante respeitável daquilo que um ser humano pode ter de melhor. É comum que façamos tais considerações em algum momento particularmente mais alegre, depois de uma nova conquista. Nesse caso, estamos felizes em virtude disso e, pensando na vida, concluímos que temos sido felizes.

Quando dizemos que estamos felizes, estamos nos referindo a um instante, a uma foto. Quando fazemos um retrospecto do que vivemos e achamos que experimentamos uma boa qualidade de vida, estamos nos referindo a um filme. **Ou, como dizia Epiteto, pensador romano do início da era cristã, "a verdadeira felicidade é um verbo" (*The art of living, a new interpretation by Sharon Lebell*, 1994). Ou seja, a felicidade seria uma ação, uma sucessão de acontecimentos de valor positivo.**

Usarei a palavra felicidade apenas com este sentido, o que descreve o estado contínuo que deriva de uma avaliação mais ampla e completa do que temos vivido. Acho importante distingui-lo da outra condição, relacionada com um prazer agudo, sempre transitória e efêmera. Para esta última cabe a expressão popular — e verdadeira — que diz que "não há mal que sempre dure e nem bem que nunca acabe". Aos momentos de exaltação derivados de grandes conquistas — que nem sempre dependem de competência ou implicam méritos por parte de quem se deu bem — prefiro chamar de outro nome. Se não quisermos fugir do modo como estamos acostumados a pensar, poderemos chamá-los de **momentos felizes**.

Um de meus objetivos é tentar descrever quais são os ingredientes essenciais para que uma pessoa possa ser chamada de feliz. Ou melhor, para que a própria pessoa possa se autodenominar como tal. Isso porque há uma grande diferença entre o que podemos ver e pensar sobre alguém e o que ele sente em seu íntimo. Muitas pessoas infelizes gostam demais — ou necessitam mais do que gostam — de se mostrar felizes e alegres. Aliás, alegria não implica forçosamente felicidade nem mesmo quando ela é genuína. Muitas vezes o erro deriva do modo como observamos o outro e não do fato de o outro estar agindo de forma dissimulada. Uma pessoa pobre pode achar que outra é feliz apenas por ela ser rica, desconsiderando outros aspectos de sua intimidade. **Esse exemplo singelo nos remete para outra consideração essencial a respeito da felicidade: qualquer critério comparativo é perigosíssimo quando pretendemos entender e avaliar o que está acontecendo no ín-**

timo de outra pessoa. O que pode ser muito bom para uns poderá determinar dor e sofrimento em outros. Conheci mulheres que não gostavam de ser olhadas e tratadas como belas e atraentes porque queriam ser respeitadas por seu intelecto e sua forma de ser. Conheci muitas outras que as invejariam pelos mesmos motivos que as fazem infelizes. Conheço ricos que queriam ser intelectuais e intelectuais que queriam ser ricos.

Tratarei de fazer uma série de observações a fim de encontrar alguns critérios genéricos para conceituar o que seja a felicidade. Porém, reafirmo que ela deverá ser buscada por meio da introspecção. Cada um terá de adequar esses conceitos gerais a si e a seus anseios. Não devemos nos importar com a suposta felicidade alheia. As comparações entre os seres humanos estão sempre sujeitas a erros de avaliação — tanto por força das dissimulações dos que são objeto da comparação como por erros de avaliação por parte do que compara. O que é grave mesmo é que estaremos sempre comparando qualidades diferentes, uma vez que cada um de nós é único — e, por isso mesmo, incomparável.

Minha última observação preliminar — que talvez seja a mais importante — é que o conceito de felicidade como um estado, como um contínuo, implica obrigatoriamente a presença de uma certa quantidade de dor e sofrimento. Nem a mais feliz das pessoas passará pela vida imune às dores inevitáveis e próprias da nossa condição. Ela também perderá entes queridos por mor-

te, estará sujeita a doenças mais ou menos dolorosas em si e nos seus, terá fracassos profissionais, econômicos e sentimentais. Não devemos cultivar ilusões.

Podemos afirmar, pois, que um dos requisitos para a felicidade consiste exatamente na docilidade com que aceitamos as dores da vida, aquelas que não dependem de nós e de nossas ações; aquelas que não podem ser evitadas, que não podemos nem devemos tentar controlar. Dessa forma, a capacidade para lidar com dores e frustrações e também a humildade para aceitar as incertezas próprias de nossa limitada capacidade de interferir naquilo que nos é essencial são ingredientes absolutamente necessários para que possamos ser felizes.

Feliz não é o que não sofre e sim o que aceita, absorve e "digere" o mais rapidamente possível todas as adversidades que as circunstâncias vierem a colocar em seu caminho. Feliz é aquele que perde o menor tempo possível nas partes tristes do filme da vida — o que não significa negligência nem superficialidade. Não se trata de negar as dores e sim de aceitá-las com a resignação dos impotentes.

5

cinco

Erros relacionados com falsas expectativas são um problema gravíssimo em psicologia. Quando esperamos que determinado estado ou situação nos provoque algo que não lhe é próprio, vivenciamos forte decepção. O que costumamos fazer diante dela? Tendemos a desqualificar tudo que está envolvido com o assunto. Se pensarmos na felicidade como um estado que nos provoca exaltação permanente e extraordinários prazeres, é claro que acabaremos por concluir que ela não existe e que não vale mesmo a pena persegui-la. Quando tal constatação, óbvia, se dá em pessoas com baixa tolerância a frustrações e não muito acostumadas a fazer reflexões acuradas, o mais comum é que elas se revoltem e saiam em busca das fórmulas fáceis como remédio para seu desgosto. Muitas se tornam cínicas — e céticas — e passam a perseguir os objetivos típicos da era em que vivem. Nos dias de hoje correm atrás da riqueza material desmedida, do sucesso no jogo erótico das conquistas, da perfeição física e do desfrute do prazer derivado de provocar inveja nas outras pessoas. Isso sem falar daquelas, mais radicais, que vão atrás da "felicidade química", das drogas que povoam nosso mundo cheio de frustrados e desesperançados.

Penso que, em vez de buscar falsas soluções, temos de tentar refletir muito mais sobre a pergunta que me parece essencial: o que é, afinal, a felicidade? Precisamos tentar entender o máximo que pudermos sobre o assunto de forma realista, pensando na felicidade possível como sinônimo de felicidade real. Quanto maiores forem nossos progressos nessa direção, maiores serão as chances de encontrarmos um modo gratificante de ser e de viver. Como sempre, aqui também é essencial um mínimo de maturidade emocional para que não nos desesperemos diante das decepções.

É interessante acrescentar mais um aspecto à análise do que é a felicidade possível — ou simplesmente a felicidade. Trata-se da afirmativa usual de que a felicidade é impossível porque nossa mente vive povoada de desejos e que sua realização nos levaria para o tédio. Em outras palavras: somos infelizes porque desejamos — e por isso mesmo nos sentimos incompletos — ou ficamos infelizes porque nos sentimos completos e sem desejos, o que seria o tédio total.

Existe um fundo de verdade na afirmação acima, especialmente se levarmos em conta a questão pelo ângulo dos desejos e suas resoluções. Porém, tenho dúvidas se somos movidos apenas por desejos. Não seriam as próprias dúvidas capazes de nos mover? Ou será que dúvidas são desejos? A questão é complexa, e espero conseguir me colocar de forma clara ao longo das páginas que se seguem.

Vamos a um exemplo: se alguém deseja muito determinado bem material — um relógio novo — se sentirá infeliz enquanto não conseguir comprá-lo. Quando conseguir, experimentará um momento de felicidade — que pode significar algumas horas ou alguns dias —, no qual estará particularmente alegre por possuir o novo bem. Depois disso, nem se lembrará que possui aquele relógio. Olhará para ele sem sentir emoção alguma, com a displicência e o desinteresse com que olhava para o relógio anterior. Sentirá, sim, certo tédio, um vazio.

O tédio só se atenuará se for superado por um novo desejo que substituirá a infelicidade do tédio pela infelicidade da incompletude. O novo desejo agora será sua meta, a nova razão para esforços e sonhos — uma infelicidade que busca a felicidade. O novo momento de felicidade se resolverá da mesma forma: tristeza relacionada com o vazio e o tédio. Não é à toa que este processo tende a se transformar em um moto-contínuo, em algo que pode provocar forte dependência psicológica, um vício (no sentido antigo da palavra).

Se analisarmos o jogo de abordagem de novos parceiros para fins sexuais e o modo como muitos homens desejam, por exemplo, conquistar uma mulher, talvez nossas conclusões venham a ser muito parecidas com o que descrevi a respeito dos bens materiais. A mulher será valorizada, cobiçada, prestigiada, coberta de elogios e presentes até que ela, envaidecida e excitada, ceda ao assédio. Acontecerá a intimidade sexual, que será vivida como um momento de felicidade ao qual se seguirá o vazio e o tédio — além de uma eventual aversão pela situação e pela mulher; isso no caso de alguns homens. **Outra vez**

estamos diante de um desejo que, uma vez resolvido, traz como conseqüência o tédio. E agora? A solução fácil é partir imediatamente para outra conquista. Outra mulher se tornará objeto do desejo — e a repetição desse processo também tende a se transformar em vício.

O vício tem sempre essa característica básica, pois deriva de um desejo que se resolve e renasce em decorrência do tédio (esse é o mecanismo da dependência psicológica) ou da falta de determinada substância no organismo (a dependência química). A dependência psicológica deriva da ânsia por reexperimentar aquela efêmera "felicidade" provocada pela resolução de um desejo. Como o que se segue à "felicidade" corresponde a uma sensação muito desagradável — especialmente quando comparada com o que se sentiu durante a "felicidade" —, surge o desejo de repetição ininterrupta do mesmo procedimento. **O desejo de repetição se manifesta mesmo quando a pessoa está absolutamente consciente dos malefícios que podem estar aí envolvidos, o que mostra que a razão está totalmente fragilizada e refém do círculo vicioso que se formou.** Tais malefícios existem mesmo quando os vícios não são nocivos à saúde. No vício do jogo ou mesmo na busca da solução existencial pela via do consumismo desenfreado podem acontecer graves perturbações da vida financeira das pessoas e de suas famílias.

Se não nos acautelarmos poderemos vivenciar fenômenos parecidos no amor. Ele pode provocar um estado extraordinário de inquietação e felicidade, um desejo incontrolável de estar com o amado e de viver em

permanente êxtase. Se as pessoas acreditarem que esta é mesmo a essência do fenômeno amoroso, poderão pensar em largar tudo e ir para o meio do mato ou para uma ilha deserta onde poderiam curtir plenamente as sensações sentimentais. Não precisam de mais nada e de mais ninguém porque têm um ao outro. O que aconteceria se realizassem seus sonhos? O mais provável é que o estado extraordinário perderia força e o cotidiano monótono e repetitivo fosse se transformando num profundo e insuportável estado tedioso. Outra vez poderíamos dizer que as pessoas são infelizes ou porque desejam e não realizam o encontro amoroso ou porque o realizaram e a emoção se enfraquece e o tédio volta a dominar.

Se esse fosse o único caminho para nossa existência, tornaríamo-nos extremamente pessimistas e consideraríamos a vida uma empreitada bastante desinteressante. Seria melhor que nossos desejos jamais se realizassem, porque pelo menos poderíamos sonhar com sua resolução e, em fantasia, experimentar repetidas vezes a "felicidade" que daí extrairíamos. Não vejo as coisas com esses óculos pretos e acho que tais considerações, ainda que formuladas por pensadores sofisticados, são totalmente equivocadas. Elas explicam muito bem os caminhos que nos levam aos vícios — exatamente aqueles que temos de evitar a qualquer custo justamente porque nos afastam do objetivo da felicidade possível e da liberdade possível.

seis

Volto a perseguir a rota que, penso, pode nos trazer melhores frutos. Convém começar pelas coisas mais simples, ou seja, aquelas que nos fazem infelizes. Nosso organismo como um todo, assim como cada célula ou órgão, busca permanecer em um estado de equilíbrio interno. No caso das células, isso corresponderia ao equilíbrio entre as concentrações de substâncias como o sódio e o potássio no interior delas e nos líquidos que as cercam. Se a concentração for maior de um dos lados da membrana que as limita surgem movimentos migratórios de substâncias (ou de líquidos) para que as concentrações voltem a ser iguais dos dois lados. Esse é o fenômeno básico da homeostase, ou busca permanente de equilíbrio.

Assim como cada célula, nosso organismo — inclusive o psiquismo — também busca o equilíbrio homeostático. Isso se faz por meio da ingestão de alimentos e líquidos e pela eliminação de detritos, além, é claro, da respiração. Trata-se de uma busca contínua, uma vez que o equilíbrio se perde pela simples ingestão de um copo d'água ou pelo suor excessivo em um dia de calor. O momento do equilíbrio homeostático é como uma fotografia, um fotograma em um filme. É um instante fu-

gidio que se perde. É um ponto que se busca o tempo todo, se alcança, se perde e se torna a buscar.

Os desequilíbrios homeostáticos são, via de regra, sentidos como desagradáveis. Isso quer dizer que nossa mente registra esses estados físicos como dolorosos. A mente toma consciência, por exemplo, da falta de água no organismo. Chamamos a essa percepção de sede. O mesmo acontece com a comida: sentimos o desconforto chamado fome. Sentimos dor e incômodo se não pudermos satisfazer a necessidade de eliminação de nossos detritos na hora desejada — coisa que nos acontece muitas vezes em virtude das normas civilizatórias que regulamentaram os locais específicos para esse fim e que nem sempre estão onde precisamos.

Fome, sede, frio, sono e desejo de urinar são alguns dos desequilíbrios homeostáticos mais habituais e de caráter desagradável. Deixo para depois a reflexão acerca dos desequilíbrios que podem ser registrados como agradáveis. Se estivermos com sede e sem acesso a água ou outro tipo de líquido, sentiremos a dor do desconforto. Infeliz com isso, nossa mente passa a se ocupar de forma prioritária do problema, buscando sua resolução com determinação e firmeza. Finalmente encontramos o remédio que tanto buscávamos: água potável! Bebemos e sentimos um enorme prazer que advém do fim do desconforto. O prazer acontece por sairmos de um ponto negativo e voltarmos para o ponto zero, o ponto do equilíbrio homeostático. Daí Schopenhauer ter chamado esse tipo de prazer de "prazer negativo".

Trata-se de uma felicidade passageira, efêmera, que deriva do fim da dor relativa à sede. Fenômeno idêntico acontece com todos os outros desconfortos físicos causados por desequilíbrios homeostáticos. Temos paladar, olfato e visão apurados. Ao sentirmos sede ou fome podemos tomar água ou nos alimentar de várias coisas básicas e preparadas de forma singela. Podemos também tentar acrescentar algum tipo de sofisticação extra ao processo de resolução de nossas necessidades. Podemos ingerir sucos de frutas preparados de forma adocicada, podemos comer de forma criativa nos servindo de pratos bonitos, aromáticos e de paladar particularmente requintado. Saciaremos a sede ou a fome e ainda por cima experimentaremos certo prazer especial derivado de sensações que são requintes agregados aos prazeres negativos. **Nós humanos, por meio da inteligência, sofisticamos nossas atividades fisiológicas mais simples, transformando-as em prazeres que vão muito além da simples resolução das necessidades. Agregamos prazeres positivos ao processo de recuperação do estado homeostático. A isso poderíamos chamar de prazeres negativos sofisticados pela razão criativa.**

A vaidade, componente de nosso instinto sexual que ganhará importância crescente ao longo do texto, também participa dessa sofisticação das atividades essenciais. Atua de forma óbvia e explícita na questão do vestuário, elemento necessário para nos protegermos contra o frio, mas que ultrapassou esse objetivo inicial. No caso das comidas e bebidas mais requintadas, também esta-

Flávio Gikovate

mos diante do prazer exibicionista, já que nos sentimos importantes e prestigiados quando fazemos aquilo que chama a atenção dos "outros". Isso acontece quando nos destacamos porque temos acesso a alimentos fora de série, preparados por *chefs* famosos que trabalham em restaurantes caríssimos.

Graças à inteligência e à vaidade, transformamos nossas atividades essenciais relacionadas com a sobrevivência em algo complexo e rico em detalhes. Assim procedendo, nem parece que estamos saciando necessidades fisiológicas simples. É como se quiséssemos, a todo momento, nos esquecer de nossa condição animal e principalmente de nosso caráter mortal. Os atos relacionados com a eliminação dos detritos não puderam ser camuflados de maneira competente, de modo que, nessa hora, ricos e pobres são forçados a reconhecer sua "precária" condição de simples mamíferos.

7

sete

Entre os prazeres negativos, penso que é importante registrar de modo especial aquele que está relacionado com a saúde e a doença. Sentimo-nos doentes quando vivenciamos um quadro genérico de fraqueza, desconforto, calafrios, tonturas etc. Muitas doenças produzem sintomas mais específicos, como é o caso de dores localizadas, erupções cutâneas, alterações digestivas, estados depressivos e assim por diante. São desprazeres bem maiores do que a sede, a fome ou o frio. Não há proporção entre o grau de sofrimento que experimentamos e a gravidade da doença. Nos casos em que existe risco de morte o sofrimento psíquico cresce muito, mas também padecemos bastante nas dores de dente, enxaquecas, cálculos renais e outros males.

O prazer negativo relacionado com a recuperação da saúde — recuperação do bem-estar geral ou fim de um sintoma específico — é enorme. Estávamos muito afastados do ponto de equilíbrio, e por um tempo maior do que o que costumamos passar com fome ou sede. "Saudamos" a recuperação física da mesma forma que nos alegramos com uma grande conquista; o prazer é extraordinário e fundamental. O que acontece depois de 24 ou 48 horas? Tratamos nosso bem-estar com absoluta na-

turalidade. Não sentimos mais o enorme prazer de acordar bem dispostos e energizados. Assim como todos os prazeres negativos, esse também tem duração efêmera, posto que logo nos acomodamos à boa situação — como se tivesse sido sempre assim. Precisamos nos empenhar para evocar a lembrança das agruras que passamos com a doença que já se foi. Porém, ao primeiro sinal de um novo mal-estar, voltamos a nos preocupar e a valorizar a saúde como a maior das nossas dádivas. Não acordamos felizes por estarmos bem de saúde, nem pensamos nisso de modo espontâneo. Agora, se acordarmos com uma pequena dor no dedo do pé, serão sobre ela nossos primeiros pensamentos — cheios de apreensões. É assim que funciona o psiquismo, sempre mais preocupado em nos preservar do que em facilitar as lembranças dos prazeres e das alegrias. Acordamos pensando nas dívidas, mas nunca pensamos em nossa situação financeira quando estamos com um bom saldo no banco.

A propósito, temos de analisar melhor a importância do dinheiro para a construção da felicidade. Não pretendo esgotar um tema assim complexo e acho que cabe aqui apenas afirmar que **o dinheiro é essencial para a resolução das dores e das outras fontes de infelicidade que derivam dos desequilíbrios homeostáticos negativos.** O dinheiro é o instrumento por meio do qual podemos adquirir agasalhos que nos protejam contra o frio e ter acesso a um teto que nos proteja das intempéries climáticas. É o mediador das trocas que podem nos permitir acesso aos alimentos e até nos gratificar com

uma deliciosa barra de chocolate (sofisticação extrema de um prazer negativo).

O dinheiro é essencial para que possamos cuidar bem da saúde, posto que médicos, dentistas, exames complementares e remédios geralmente custam caro. O dinheiro é o veículo pelo qual podemos resolver nossas necessidades básicas e experimentar os prazeres negativos tão essenciais à preservação de uma vida digna e que valha a pena ser vivida. Visto por esse ângulo, o dinheiro é peça essencial para nossa felicidade.

As dúvidas acerca da importância do dinheiro para o tema da felicidade aparecem sobretudo nas reflexões acerca do seu uso para o consumo de quantidades crescentes de produtos supérfluos. Refiro-me tanto à ânsia de sofisticar exageradamente os prazeres negativos como aos duvidosos benefícios derivados da gratificação da vaidade exibicionista, chamando a atenção dos que têm menos dinheiro.

Minha experiência pessoal e profissional me faz desacreditar da capacidade efetiva de obtermos algum tipo de felicidade derivada da acumulação de bens materiais não essenciais. Não creio que provoquem algum tipo de satisfação mais importante e duradoura. Certa vez li uma frase interessante que dizia o seguinte: "Ricos são aqueles que têm muito das mesmas coisas"! Ter muitos sapatos pode fazer uma pessoa bem mais feliz do que aquela que tenha o suficiente — e talvez um pouco a mais que o essencial?

Vejam como o tema pode se complicar: mesmo que o dinheiro não seja importante para atingir a felicida-

de, o fato é que as questões relacionadas com ele podem ser fonte de grande infelicidade quando se trans-
formam em uma questão social ligada às comparações.

Um estudo recente levado a cabo nos Estados Unidos
mostrou que famílias que ganham US$ 50 mil por ano e
vivem num bairro em que a média de salários é de US$
40 mil estão mais satisfeitas com sua condição do que as
que ganham US$ 100 mil e vivem numa comunidade
em que a média é de US$ 120 mil. Os números falam
por si: somos mais incomodados pela humilhação de
não podermos ter aquilo que os vizinhos possuem do
que pela falta efetiva dos bens materiais. Certa vez, um
psicólogo cubano me contou que não tinha carro, mas
que isso não o incomodava em nada porque em Havana
ninguém das suas relações tinha!

Assim, a falta de dinheiro para fins supérfluos pode
se transformar em uma nova dor, similar à fome ou às
doenças, em uma sociedade que valoriza demais o sucesso nessa área e o acesso a bens materiais duvidosos — tanto em relação à necessidade que temos deles quanto às gratificações e aos prazeres que eles
nos proporcionarão. Um indivíduo bem-sucedido, que
consegue ganhar dinheiro para comprar o que os "outros" também têm, experimenta a felicidade derivada
de um prazer negativo: conseguiu sair da condição de
humilhação (dor psíquica intensa) em que se encontra-
va por não estar na mesma condição dos seus pares. A
dúvida é em que medida — e por quanto tempo — ele
realmente aproveitará sua nova condição.

Flávio Gikovate

A certeza é que a sociedade de consumo conseguiu seu objetivo: produzir uma nova fonte de sofrimento relacionada com a falta de bens supérfluos. Lutamos de forma competitiva até à exaustão para ter acesso a bens de que só necessitamos para que não nos sintamos tristes por não possuí-los. Vamos mal!

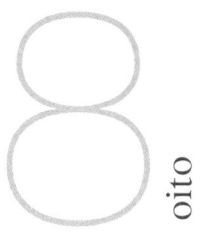

oito

Farei algumas considerações breves acerca do amor, tema recorrente em meus livros ao longo dos mais de trinta anos que me separam do lançamento do primeiro deles. **À primeira vista poderá parecer estranho para muitas pessoas que eu inclua o amor entre os prazeres negativos. Afinal de contas, muitos de nós sonhamos com a felicidade sentimental como nossa maior e mais importante conquista. É verdade que outros sonham mais com o dinheiro do que com o amor, sendo que a grande dúvida costuma ser: qual dos dois vale mais? Se o dinheiro vem em primeiro lugar, o amor está em segundo, e vice-versa. Nenhum dos dois está em terceiro!**

Não mudei de idéia e considero o amor extremamente relevante, da mesma forma que não há nada mais importante que a saúde física e a mental — apesar da pouca atenção que costumamos lhes dar. Não penso que os prazeres negativos sejam de pouca monta. Além disso, já alertei para o fato de que um prazer negativo pode se acoplar a outras fontes de felicidade, e disso trataremos logo mais. **O amor é essencial, assim como a saúde. Ambos são prazeres negativos. O amor nos tira do desconforto que sentimos quando estamos sozinhos. A presença da pes-**

soa amada provoca em nós aconchego e menos desamparo. É, pois, um fenômeno homeostático.

A grande questão é: por que nos sentimos incompletos e desamparados quando estamos sozinhos? Não podemos deixar de prestar atenção nisso, pois não era obrigatório que assim fosse — especialmente depois que nos tornamos adultos. Não podemos pensar apenas que é assim que somos e pronto. Ou então que é do nosso instinto de acasalamento. Chamar certas condutas de genéticas ou instintivas parece, aos meus olhos, uma fórmula rápida para achar soluções fáceis e vazias para fenômenos que não dominamos. Livramo-nos da dúvida desconfortável e ponto final.

A hipótese explicativa que venho desenvolvendo nos remete às nossas primeiras experiências como seres vivos. Ao longo da gestação, passamos da inexistência para a existência. Vivemos esses meses cercados por líquido, servidos de comida farta pela via sangüínea, somos livres para eliminar excrementos nesse líquido que nos envolve — e que se purifica "automaticamente". Estamos dispensados até mesmo de respirar. **Nossas primeiras sensações como seres vivos — e que, acredito, são registradas no cérebro ao menos nas últimas semanas de gestação — são, pois, paradisíacas.** O registro cerebral se transfere para o Gênesis, que afirma que a vida se inicia no paraíso.

Trata-se de um registro inicial bastante complicado, uma vez que ele tende a virar padrão de referência para o que virá depois. Durante a gestação estivemos sujeitos a esse único registro, qual seja, o da harmonia, da paz e do aconchego (nomes que nós, adultos, daremos ao que supomos termos vivido então). **O registro seguinte é dramático: corresponde ao desmanche de todo esse equilíbrio. É a expulsão do paraíso. Tudo fica péssimo, assustador e ameaçador. Tudo é desconhecido.** Passamos a respirar por conta própria e a nos alimentar pela boca. Passamos a depender de cuidados que podem ou não chegar a tempo — cuidados que, no útero, estavam disponíveis o tempo todo. Por melhor que sejam as condições objetivas, sempre será muito pior do que era. **Nascer é, pois, uma transição para pior.**

Sendo a condição uterina o padrão de referência — o que corresponde a uma condição muito próxima da homeostase constante —, é evidente que tudo que vem depois do nascimento corresponde a um desequilíbrio negativo. **Desamparo — por vezes amplificado e sentido como desespero — é o nome que damos ao que supomos ser as sensações das criancinhas que acordam e não vêem nada nem ninguém que lhes seja familiar.** No útero não havia personagens, de modo que a "relação" com pessoas precisa ser construída. O desamparo do bebê se atenua com a presença materna, com o sugar do seu seio, com os cuidados físicos que ela lhe dedica. **O desamparo se atenua e se transforma em aconchego pela regularidade e repetição dos cuidados maternos ao longo dos dias, das semanas, dos meses.**

O bebê vai, aos poucos, se familiarizando com locais e objetos e também com um número crescente de pessoas.

Passa a se sentir menos desamparado e mais aconchegado pelo fato de reconhecê-los. O conhecido aconchega e o desconhecido é neutro ou apavorante — isso conforme suas peculiaridades e também em função do modo de ser de cada criança. A vida se formou numa circunstância aconchegante. O parto corresponde ao fim do pleno aconchego e ao início de uma insatisfação que dificilmente nos abandonará completamente. **Sentimo-nos incompletos e insatisfeitos por comparação com o que experimentamos no início. Sentimo-nos desamparados. Buscamos, nos sonhos e na vida real, reencontrar a completude perdida.** A vivência infantil ensina que o que mais nos aproxima das sensações próprias daquele estado original são os momentos em que estamos no colo da nossa mãe, sugando o leite dos seus seios. Aprendemos que o desamparo se transforma em aconchego quando estamos junto com ela, por quem passamos a sentir algo muito especial. Talvez o mais certo seria pensar que começamos a ter algum tipo de consciência de algo que já sentíamos por ela desde o início. **O amor corresponde ao que sentimos por aquela pessoa que nos provoca a sensação de paz e aconchego que atenua a dor do desamparo e nos livra dos desconfortos físicos que o acompanham. O primeiro objeto do amor é, pois, nossa mãe. Os outros objetos, aqueles que continuamos a buscar ao longo de todas as fases da vida adulta, serão substitutos do objeto original.**

Ao longo da vida adulta a questão amorosa se complica muito, e sobre isso já escrevi em diversas ocasiões. As-

sim, não farei aqui ponderações prolongadas acerca de como se processam os encantamentos amorosos adultos, a interferência dos fenômenos sexuais e as hostilidades agressivas, invejosas ou não, que povoam o cotidiano dos que se amam. Também não tratarei aqui daquelas pessoas que usam a palavra "amor" indevidamente, sempre com o intuito de camuflar intenções oportunistas. A complexidade do amor adulto, sujeito a tantas interferências oriundas da razão e também de outras áreas da nossa vida emocional, contrasta com a simplicidade do fenômeno amoroso infantil. Em sua essência, porém, trata-se do mesmo fenômeno.

nove

Uma questão nos remete a outra, e esta, muito pertinente, tem sido feita pouquíssimas vezes: **não seria possível atenuarmos a sensação de desamparo durante a fase adulta a ponto de podermos prescindir do amor? Ou pelo menos para diminuirmos a importância do amor na vida íntima? Faz sentido buscarmos o tempo todo reconstruir a harmonia perdida?**

As perguntas são mais que importantes porque as escolhas amorosas adultas costumam ser inadequadas. O amor, que deveria nos fazer menos infelizes atenuando os desconfortos que nos perseguem o tempo todo, passa a ser causa de novos e dramáticos sofrimentos. Ao "escolhermos" substitutos pouco confiáveis — isso por razões que já descrevi em outros livros —, padeceremos de tensões permanentes, inseguranças redobradas e ciúmes dolorosos. O que deveria nos apaziguar costuma ser fonte de novas mazelas.

Podemos, sim, considerar o amor parte de um processo regressivo por meio do qual lutamos contra nossa condição objetiva e tentamos voltar ao paraíso definitiva e irremediavelmente perdido. Visto dessa forma, o amor poderia ser encarado como atuando em oposição à vida. Seria algo que nos impulsionaria para trás,

para antes do nascer. O amor seria antivida (ponto de vista que o aproxima do instinto de morte, só que na direção oposta: para antes da vida e não para depois).

Não seria propriamente parte de nenhum instinto, mas uma manifestação de inconformismo com a perda do aconchego no qual nos formamos.

Pode parecer estranho enxergar o amor desse ângulo, já que nossas crenças — as idéias que nos transmitiram e que incorporamos sem crítica — nos dizem exatamente o contrário: que o amor é nossa maior fonte de prazer e felicidade. Aprendemos que o amor nos humaniza, nos faz generosos, delicados, dedicados etc., mas ele também pode ser visto como algo que nos puxa para trás. Na melhor das hipóteses, pode ser um meio de nos provocar o prazer negativo derivado da atenuação do desconforto que sentimos a partir do nascimento. Ainda assim, está sujeito a inúmeros novos problemas derivados dos erros relacionados com as escolhas do objeto amoroso.

Como explicar tanta controvérsia a respeito da importância do amor? Será que todos os que nos antecederam se enganaram e que o amor é mesmo apenas uma grave neurose regressiva? Acho importante tentar penetrar um pouco mais nesse território e entender melhor os mistérios que cercam o tema. O primeiro aspecto relevante a considerar é que o estabelecimento de elos estáveis entre duas pessoas não se deu em decorrência do amor. O amor não foi o que determinou o surgimento do casamento. Este derivou de razões práticas relacionadas com as necessidades de organização social, com as

questões patrimoniais que nasceram junto com a vida em grupo e também com a reprodução e perpetuação de cada família — núcleo de sangue que tinha determinada posição em dada comunidade.

Homens e mulheres unidos por força dos interesses de suas famílias de origem passavam a viver juntos e a se reproduzir. Esse núcleo gerou, como subproduto, uma agradável sensação de aconchego. Os cônjuges estavam mais presentes na vida cotidiana do que os membros das famílias de origem, fontes originais de aconchego. Se a presença deles provocava sensações agradáveis, passávamos a gostar mais deles e da sua companhia. Passávamos a querer tratar bem deles para que eles também gostassem da nossa companhia. Ao nos apegarmos dessa forma aos cônjuges — e também aos filhos —, afrouxamos os elos anteriores. As pessoas se casavam cedo, tinham muitos filhos e morriam cedo. A vida era outra.

O segundo aspecto a ser colocado é que a vida era muito árida e quase toda voltada para a sobrevivência. Os prazeres positivos eram poucos e praticamente irrelevantes. O trabalho tomava quase todo o tempo da breve vida das pessoas. Os raros prazeres positivos estavam relacionados com a vida sexual praticada, como regra, com o parceiro conjugal. **O sexo (prazer positivo) se acopla ao aconchego (prazer negativo), de modo que o mesmo parceiro podia ser apreciado como fonte de prazeres de toda ordem em uma época — não muito distante — em que a vida se resumia a isso.**

As comunidades sempre organizaram, é verdade, algumas manifestações coletivas relacionadas com prazeres positivos: danças, músicas, comilanças e consumo de algum tipo de entorpecente natural derivado de álcool ou ervas. Eram manifestações esporádicas, de modo que o prazer positivo a ser vivenciado tinha de ser obtido no seio da família. Assim, o objeto amoroso era visto como principal fonte de felicidade: nos aconchegava e também era fonte de prazeres sexuais. Nesse contexto, o amor tinha mesmo a importância e o valor com os quais era descrito.

Além disso, penso que a vida conjugal era muito mais bem-sucedida que nos dias de hoje, justamente porque a vida era mais simples. Os papéis dos homens e das mulheres eram muito bem definidos, as escolhas eram feitas pelas famílias segundo critérios racionais que privilegiavam as afinidades — o que determinava menos índice de erro do que as escolhas voluntárias, que quase sempre acontecem entre opostos — e as questões da vida eram de natureza prática, relacionadas com o cotidiano e os filhos. As possibilidades de atrito eram, pois, bem menores do que nos dias de hoje.

Penso que os casais viviam melhor do que hoje por todas essas razões e também porque as expectativas eram muito menores. Isso criava condições para que o companheirismo se estabelecesse com mais facilidade, já que as decepções com o parceiro eram diminutas. Hoje esperamos muito mais do amado, de modo que as decepções e também as cobranças — por parte dos que se

sentem mal atendidos — têm gerado dissabores que nossos antepassados desconheciam.

Em síntese, considero o amor um prazer negativo que se associa com facilidade a prazeres positivos ligados à sexualidade, como a dança e a música e mesmo as conversas íntimas. É parte de um conjunto de prazeres que, no passado, foram tratados como únicos, de modo que justifica a idéia exaltada que se fazia do amor. Tudo isso numa época em que a vida era mais simples e na qual as relações íntimas se beneficiavam disso. Nosso cotidiano é completamente diferente do vivido por nossos avôs e os avôs deles. Precisamos rever e atualizar nossos conceitos para que tenhamos chance de encontrar a forma contemporânea de ser feliz no amor.

dez

Voltemos à questão original acerca da possibilidade de atenuar a sensação de desamparo sem que tenhamos um parceiro. Ficou claro meu ponto de vista a respeito das comparações com o passado — mesmo o recente. O amor significava algo muito diferente de hoje, os problemas eram outros, as condições objetivas e o estilo de vida de homens e mulheres são incomparáveis. O mesmo vale para a avaliação do que era antes e do que é hoje ser uma pessoa sozinha. Vejam como é complicado pensar com a visão psicanalítica, construída há cem anos, tempo em que ainda eram válidas muitas das observações que fiz anteriormente. **Não é por acaso que, para Freud, o amor era um sutil desdobramento do instinto sexual. Fazia todo sentido para a época, apesar de, hoje, eu considerar que se tratou de um dos mais graves equívocos da teoria que ele construiu.** O que não faz o menor sentido é lidar com as afirmações desse genial pensador como verdades atemporais e aistóricas. Temos de construir uma psicologia que reflita nosso tempo, exatamente como ele fez para o fim do século XIX e início do século XX.

Hoje podemos visualizar as questões de outra forma (que também será superada ao longo das décadas vindouras). Nossa mente inquieta interferiu de forma radical sobre nosso hábitat ao longo do século passado, de modo que vivemos em um mundo novo ao qual temos de nos adequar. Isso implica esforço, mas abre perspectivas para que encontremos novas soluções para antigos dilemas. **Estamos e estaremos em permanente mudança; isso quer dizer que uma boa parte do que somos e pensamos não depende de nossa natureza, e sim da época em que vivemos.**

Somos, pois, criaturas históricas. Talvez isso explique a dificuldade enorme que temos de entender nossos ancestrais. Não os entendemos bem e não conseguimos sentir como eles sentiam. Ao imaginar suas dores e alegrias cometemos erros sucessivos. Só quem estava ali, com o saber próprio daquela época, era capaz de entender profundamente o que as pessoas vivenciavam. Mesmo os autores mais "eternos" precisam ser estudados de novo e decodificados à luz do modo de ser e de sentir de cada época. É claro que existem em nós certas constantes, imutáveis ao longo dos séculos. São algumas poucas emoções e sentimentos. Talvez elas sejam efetivamente parte de nossa natureza.

Alguns seres humanos tentaram, ao longo dos séculos, aliviar a dor do desamparo de forma diferente do que descrevi acerca dos vínculos familiares. Buscaram, por exemplo, o aconchego das comunidades religiosas. Dedicaram-se ao estudo e à devoção, viveram em conventos ou monastérios cercados por seus pares, constituíram um outro tipo de "clã" familiar e estabeleceram um elo amoroso com a divindade. Muitos preferiram, no passado mais que hoje, esse tipo de cotidiano, no qual, ao menos oficialmente, abdicavam da vida sexual. Por vezes imaginei a existência dessas pessoas como triste e vazia. Depois pensei que, em comparação com o dia-a-dia massacrante das pessoas comuns, casadas e tendo um filho por ano, trabalhando de sol a sol para morrer por volta dos 40 anos, talvez tenham feito uma opção sábia e confortável. Hoje vejo que não tenho a menor condição de avaliar as alegrias e tristezas de nenhum dos dois tipos de vida. Minha vivência é distante demais, de modo que não posso nem tentar entender o que se passava em sua alma.

Muitos homens se engajavam em exércitos. Viviam de uma forma peculiar que muitas vezes excluía, definitivamente ou não, a vida familiar. O amor à pátria e o aconchego derivado do convívio com os companheiros preenchia o vazio que nos caracteriza — é como se tivéssemos um "umbigo psicológico", uma cicatriz permanente que nos lembra que, ao nascer, fomos expelidos.

Poucas foram as pessoas que tiveram força para enfrentar efetivamente a condição de solidão e não lançaram mão de nenhum expediente, tratando de viver e sofrer o que lhes cabia. Alguns foram filósofos, leigos ou religiosos. Outros, artistas. Outros, eremitas sem qualquer aptidão especial. Os poucos registros de que dispomos vêm dessas fontes. Eram, porém, criaturas especiais, muitos particularmente bem dotados, de modo que não refletiam a vida daqueles que tenham ficado sozinhos.

Cabe registrar também que muitas pessoas se viram sozinhas involuntariamente: órfãos, viúvos, abandonados etc. Não sei descrever o que sentiram.

Na minha infância ainda convivi com algumas mulheres e homens que permaneceram solteiros. Eram vistos com estranheza pelas outras pessoas e sobre eles sempre havia maledicências — as mulheres não eram consideradas muito dignas e sobre os homens havia a suspeita de que talvez fossem afeminados. Eram marginalizados e suas famílias de origem davam-lhes alguma atenção, convidando-os para os almoços de domingo. Poucas vezes eram vistos em cinemas ou teatros e muito menos jantando fora sem companhia. Isso aconteceu há pouco mais de cinqüenta anos! Solitários eram malvistos, marginalizados, tratados como se fossem "leprosos" ou cidadãos de segunda categoria. Não creio que pudessem ser criaturas felizes.

As pessoas de hoje são de dois tipos e estão divididas igualmente: as que conseguem ficar boa parte da vida e do seu tempo livre sozinhas — ou seja, sem parceiro sentimental, mas com amigos — e as que ficam péssimas quando se vêem a sós por mais que alguns minutos. Estas são extrovertidas, sempre buscando os conhecidos — confundidos com os amigos de verdade — e parceiros amorosos e são totalmente incapazes de se entreter consigo mesmas. São pessoas que lidam mal com frustrações em geral e com a dor do desamparo em particular, de modo que buscam companhia a qualquer custo, usando todos os recursos que estiverem à disposição.

As capazes de ficar sozinhas por mais tempo conseguiram se aprimorar na arte de lidar com o vazio que sentimos na região do estômago. Aprenderam que a sensação ruim desaparece quando se entretêm, o que está cada vez mais facilitado por todos os equipamentos eletrônicos de que dispomos, além de leituras, amigos, trabalho e passeios. Não há mais nenhum estigma social que rebaixe as pessoas que estão sozinhas — talvez exista até mesmo uma certa inveja da capacidade delas para tal. Podem sair com amigos, ter vida sexual, ter papel de destaque na comunidade e crescer no trabalho, muitas vezes de forma mais fácil do que as pessoas comprometidas. As mulheres, se for esta sua vontade, podem ter filhos sem estar casadas e sem que isso traga qualquer tipo de estigma.

É sempre bom lembrar que a gestação — e depois a criança — pode ser importante fonte de atenuação do desamparo, sendo que a mãe experimenta o fenômeno no papel inverso ao que conheceu quando bebê. Ela também se sente aconchegada pela presença do filho. Se pensarmos desse ponto de vista acerca das mulheres de antigamente, tidas como infelizes porque passavam boa parte da vida grávidas ou amamentando, teríamos de concluir exatamente o contrário, ou seja, que se sentiram ótimas, plenas, durante a maior parte da existência.

Acredito que nunca foi tão fácil e bom viver só como nos tempos atuais. Pode-se usufruir de uma qualidade de vida muito melhor do que a que se vivencia nos maus relacionamentos — que, de fato, nunca foram

piores! Os recursos de que dispomos para aliviar a dor do desamparo são imensos, e a consciência de sua existência, por si só, nos ajuda muito a conviver com ela. Estamos aprendendo a "domesticar" o "buraco" que sentimos no estômago. Não é tão complicado quanto parecia, posto que ele só aparece quando estamos inativos e reflexivos. Acredito que podemos aprender a lidar com a solidão e a viver muito bem sozinhos. As vantagens práticas são óbvias: vão desde o fato de não termos de negociar com ninguém os detalhes da vida cotidiana até a plena liberdade — inclusive no plano sexual. Nunca foi tão verdadeiro o ditado que diz: "Antes só que mal acompanhado".

11

onze

Dando seqüência a essa linha de pensamento, cabe a pergunta inversa: **sendo boa assim a vida das pessoas sozinhas, por que continua enorme o número de pessoas que buscam um parceiro amoroso — mesmo entre aquelas que se dão bem ficando sós? Talvez a primeira resposta diga respeito às nossas crenças. Elas são posturas mentais que assumimos de maneira pouco crítica.** Incorporamos muito do modo de pensar de nossos ancestrais que nos foi transferido pelo convívio educacional. Tomamos por verdade vários pontos de vista sobre os quais não refletimos, e eles passam a fazer parte dos alicerces de nosso sistema de pensar. **Precisamos das crenças para iniciar nossas reflexões pessoais. Elas são as premissas que nos permitem ir vivendo enquanto não formulamos juízos próprios. A partir de dado nível de sofisticação intelectual, que nem todos buscam e nem todos os que buscam encontram, podemos contestar nossas crenças.** Podemos colocá-las em dúvida. No caso do amor, crescemos com a idéia de que a boa vida sempre se constrói a dois e que o casamento e a família são parte essencial da felicidade — e devem, portanto, constituir um dos nossos principais anseios. Essa crença poderá ou não ser con-

testada: será mesmo preciso estabelecer um elo amoroso estável para alcançar a felicidade? As pessoas que não a contestam acreditam que o acasalamento é o melhor — ou o único — modo de viver. Buscam isso e pronto.

Também é verdade que ainda existe uma boa pressão cultural contemporânea a favor do amor e do casamento, tidos sempre como prazeres positivos, como experiências ótimas e cheias de emoções extraordinárias (já registrei os riscos envolvidos nessa idéia equivocada que reduz as boas relações de aconchego à condição de "medíocres"). Os filmes, os livros, as revistas e as novelas de TV descrevem poderosas histórias de paixão. Falam da fase de conquista e sedução — período de transição entre o estar só e o estabelecimento do elo amoroso — e seus prazeres. A vida cotidiana das pessoas que se gostam, se cuidam e se respeitam, pacata e gratificante, não daria mais que cinco minutos de filme! Amor feliz não dá história. O que funciona para fins dramáticos é a trama, a complexidade, as dificuldades; enfim, tudo que define a condição extraordinária da paixão — onde o amor está acoplado ao medo e ao suspense. Apesar de as pessoas adorarem essas histórias, confesso que elas me provocam cada vez mais pavor.

Vejo o amor, prazer negativo, freqüentemente associado aos prazeres positivos do erotismo e mesmo do compartilhar de aventuras intelectuais. Penso que o estabelecimento de um elo aconchegante e fundado na confiança recíproca com alguém cujo modo de ser, de pensar e de se mover diante das circunstâncias da

vida nos agrada bastante provoca em nós um extraordinário prazer positivo. As trocas de pontos de vista são deliciosas, o modo como a pessoa sorri nos agrada, a forma como ela se refere aos acontecimentos cotidianos nos encanta, seu senso de humor nos cativa e assim por diante. São prazeres positivos de caráter intelectual derivados do próprio convívio, que também determina o prazer negativo do aconchego. **Quando o prazer na companhia é grande, tudo se torna agradável: conversar sobre assuntos banais de forma repetitiva, relembrar situações compartilhadas, fazer fofocas, conversar sobre temas triviais, comentar as notícias dos jornais do dia etc. Mas não são essas as principais características do tipo especial de relacionamento a que chamamos amizade?** Esse tema é totalmente negligenciado pela psicologia. Gostaria de registrar aqui que se trata de um prazer positivo porque para se curtir a presença do amigo não há necessidade de dor prévia relacionada com sua ausência. Podemos até sentir falta deles, mas nada que doa como dói a falta da pessoa amada. **A ausência não provoca dor, e a presença é extremamente gratificante. Logo, trata-se de prazer positivo.**

Outra característica da amizade é a multiplicidade. Podemos ter vários amigos, várias pessoas confiáveis cuja presença nos proporciona horas de grande alegria e diversão. Pena que os elementos competitivos, invejosos e outros subprodutos da vaidade exacerbada pela cultura contemporânea tenham contribuído tão negativamente, determinando o decréscimo das relações de amizade. Temos cada vez mais conhecidos e cada vez menos amigos.

Se o parceiro amoroso é escolhido de acordo com os mesmos critérios que usamos para a escolha de um amigo — confiabilidade, afinidades intelectuais e simpatia por seu modo de ser, seu senso de humor e sua forma de reagir às situações cotidianas —, além, é claro, do interesse erótico e da viabilidade de um convívio mais estreito (amigos podem morar a dez mil quilômetros de distância), podemos ter no amado nosso melhor amigo! Essa me parece uma solução sensacional, pois a mesma pessoa que nos aconchega também é ótima companhia para a maior parte dos programas que gostamos de fazer, é nossa confidente e conselheira leal. Podemos ter outros amigos igualmente confiáveis. O que não tem sentido é que nosso parceiro sentimental não seja um deles.

Quanto mais competentes formos para ficar sozinhos, mais nosso parceiro amoroso terá de ser nosso grande amigo. Precisaremos pouco dele para atenuar a dor do desamparo e gostaremos mesmo é de sua companhia. A necessidade de sua presença diminui e o desejo de estar com ele continua forte. É a isso que tenho chamado de +amor, ou mais que amor (*vide* meu livro *Uma nova visão do amor*). Assim, mesmo quem não precisa mais de um parceiro pode preferir viver com alguém porque se delicia com a vida compartilhada em clima de respeito e companheirismo.

Quero me referir brevemente às pessoas que, independentemente do discurso que façam, precisam viver acasaladas. É o que acontece com os que não conseguiram evoluir emocional e moralmente. Os egoístas, pessoas extrovertidas e intolerantes a contrariedades, precisam de parceiros generosos, os que gostam de oferecer o que lhes falta em termos práticos. São competentes para a vida de solteiros no que diz respeito à capacidade de convívio social múltiplo, são bons paqueradores, têm sempre parceiros sexuais e são um tanto indiscriminados desse ponto de vista. Na vida privada, porém, ficam péssimos quando estão sozinhos; vivem ao telefone, assistindo à TV ou conversando com alguém na internet. Têm pouca capacidade de se concentrar em leituras e ficar serenos quando totalmente desconectados de outras pessoas. Precisam de companhia para essas horas e também para lhes ajudar a resolver as questões práticas da vida.

Os generosos, que toleram bem as frustrações mas lidam mal com os sentimentos de culpa, são muito menos competentes para o jogo social das relações superficiais e, principalmente, para o jogo erótico das conquistas. Estão sempre preocupados em não magoar o próximo e sentem-se culpados quando estão mentindo para alguém, o que determina pouca capacidade para a paquera, para a boemia e para toda a vida social típica dos solteiros. Sentem-se bem, por outro lado, quando estão sozinhos. São mais serenos e precisam menos das outras pessoas — a não ser para exercer o enorme prazer de dar e servir. Sentem falta de parceiros para a vida sexual

e social, já que não são bons em relações muito superficiais nem se interessam por elas. De certa forma, precisam dos egoístas tanto quanto estes precisam deles.

Nenhum dos dois tipos humanos, que são os mais comuns, ficam bem sozinhos, apesar de a situação ser mais facilmente tolerada pelos generosos.

doze

Creio que as observações que fiz acerca dos prazeres negativos como condição preliminar para a felicidade são suficientes para mostrar o que penso, principalmente sobre dinheiro, amor, saúde e outros desconfortos físicos. Cabe agora nos dedicarmos à descrição dos prazeres positivos. Recordo que chamei de felicidade a um estado contínuo que depende da inexistência prolongada de graves desconfortos. Somos pessoas felizes quando nada do que é básico nos falta e estamos próximos da condição homeostática. Isso deriva de nossa capacidade de retornar rapidamente a essa condição quando somos alcançados por adversidades de qualquer tipo.

Sobre essa base, que caracteriza o ser feliz, é necessário acrescentar certa dose de situações geradoras de prazeres especiais. Assim como nos desequilibramos pelas inevitáveis frustrações, teremos de nos desequilibrar de tempos em tempos na direção oposta, por meio de acontecimentos particularmente prazerosos. **É importante perceber que uma conquista inesperada — em especial as que não são essenciais — pode muito bem nos desequilibrar. Isso tanto no sentido biológico, pois nos afastamos do ponto de equilíbrio, como em suas repercussões psicológicas.** É preciso inclusive tomar algum

cuidado para não nos perdermos diante de emoções positivas fortes capazes de nos entorpecer.

Uma pessoa pode ficar enrubescida e sem palavras por vários minutos diante de determinados acontecimentos. Isso acontecerá ao ser aceita sentimentalmente por um parceiro muito desejado. Pode ficar paralisada sexualmente diante de alguém cobiçado. Pode perder toda a espontaneidade ao subir num palco para ser homenageada de forma inesperada. Pode chorar em decorrência da felicidade derivada de uma vitória esportiva. Se podemos chorar de alegria, é porque a alegria também pode nos desequilibrar. Podemos experimentar emoções de todo tipo diante de uma obra de arte que nos tocou muito, seja ela uma música, um quadro, uma escultura ou uma paisagem natural.

A palavra "felicidade" descreve um estado contínuo, de modo que **quando uma pessoa diz que é feliz é porque tem vivido perto do ponto de equilíbrio homeostático a maior parte do tempo. Descreve também a presença de uma quantidade razoável de momentos felizes, nos quais essa pessoa vive agudamente prazeres intensos, e denota que ela tem conseguido não se deixar desequilibrar muito em função de tais momentos especialmente positivos.**

Os perigos relacionados com os desequilíbrios que acontecem quando temos vivências muito positivas serão o tema da segunda parte deste livro, que trata do medo da felicidade. Gostaria agora apenas de registrar o essencial para podermos continuar a pensar nos mo-

mentos de felicidade, especialmente os que dizem respeito aos prazeres positivos.

Penso que os prazeres negativos também podem provocar momentos felizes, mas acredito que desequilibram menos as pessoas. quando algum doente recupera a saúde, dificilmente deixará de viver isso como um grande momento de felicidade — que, como sabemos, durará um tempo mais ou menos curto. Não é comum que se assuste muito com isso. Vive o prazer mais como alívio do que como desequilíbrio perigoso. Nos encontros amorosos de ótima qualidade costumam acontecer grandes desequilíbrios, mas, nesses casos, como vimos, existem prazeres positivos associados ao amor. Se um desempregado — que esteja em dificuldades financeiras — consegue um trabalho, sente prazer, mas não se desequilibra como se ganhasse na loteria, um prazer positivo porque relacionado com a possibilidade de uso do dinheiro para fins supérfluos.

Momentos felizes tendem a provocar uma diversidade de sentimentos. Entre eles, chama a atenção o medo. O medo é indício de desequilíbrio, de que estamos nos sentindo ameaçados por alguma coisa. Por mais estranho que possa parecer, o fato é que sentimos o desequilíbrio positivo como perigoso. Por causa disso, tendemos a tomar uma série de atitudes, muitas delas relacionadas com a subtração da felicidade.

Parece que nos sentimos mais confortáveis e com menos medo quando nossas conquistas são construídas com esforço e sacrifício. Preferimos o sucesso que nos

chega graças a grandes empenhos àquele que nos chega fácil. Parece que o esforço garante o direito à recompensa. O medo associado ao prazer derivado de alguma conquista se atenua quando achamos que ela foi fruto de empenho dramático e enorme trabalho. Cabe a dúvida: será que tais sacrifícios eram mesmo necessários ou foram feitos apenas com o intuito de nos equilibrar psiquicamente? E, se é esse o caso, por que precisamos lançar mão de tantos ardis para não cairmos?

Esse assunto só será abordado depois, mas fica aqui o alerta. Vamos agora nos dedicar à descrição dos prazeres positivos, capazes de gerar momentos felizes mesmo quando não estamos vivendo nenhum tipo de insatisfação nem nos falta nada de essencial.

13 treze

Freud considerava os prazeres sexuais a manifestação básica dos desequilíbrios homeostáticos positivos. Incluía no mesmo pacote o sexo propriamente dito, o amor e também os prazeres intelectuais — que seriam manifestações sublimadas da mesma energia sexual. Minha posição sempre foi diferente, já que prefiro separar esses ingredientes, dando-lhes autonomia. Ainda assim sobra para o sexo um papel importantíssimo, posto que, de alguma forma, ele sempre participa de todos os outros prazeres positivos. Vamos nos ater, por ora, ao sexo propriamente dito — e ainda assim de forma esquemática e incompleta.

Trata-se de uma das questões mais intrigantes da nossa psicologia e não pode, em hipótese alguma, ser reduzida a uma simples questão biológica ligada à reprodução e à perpetuação da espécie. O sexo é isso também, mas é muito mais, até quando pensamos apenas em sua essência biológica. Acontece que sua prática sofreu e sofre a interferência permanente de cada cultura, além de ser uma manifestação que influencia dramaticamente a forma como cada sociedade se organiza.

De todo modo, e para além da questão da reprodução, **as primeiras manifestações desse instinto se dão logo**

nos primeiros tempos de vida, talvez pelo fim do primeiro ano. Ele aparece em associação com a consciência rudimentar de nossa individualidade, de que não somos fundidos com nossa mãe. **Parece que sexo e individualidade se acoplam de forma definitiva. O toque das chamadas zonas erógenas provoca a agradável sensação que chamamos de excitação, fenômeno essencialmente pessoal, auto-erótico — uma vez que não existe nenhum objeto em jogo. A excitação é um desequilíbrio homeostático sentido como prazeroso.** Além disso, não depende de nenhum tipo de insatisfação anterior, não é remédio para nenhum desconforto. Trata-se, pois, do protótipo do prazer positivo, já que saímos do ponto de equilíbrio para o domínio do prazer.

A estimulação das zonas erógenas pode ser feita individualmente, como nos primeiros tempos, ao longo de toda a vida. Com a maturidade sexual pós-puberal, a excitação pode encontrar sua resolução por meio da ejaculação masculina ou do orgasmo feminino — que provoca uma resolução parcial, condição que permite às mulheres a imediata volta ao estado de excitação. **A troca de carícias com um parceiro também pode existir.** Ou seja, se dois indivíduos estiverem dispostos a estimular as zonas erógenas um do outro, poderá haver interação. **Mesmo que a interação pareça uma efetiva relação** — como acontece quando, na puberdade, surge o desejo visual que impulsiona os homens a se aproximar das mulheres (isso como regra) —, **talvez o fenômeno puramente sexual seja sempre essencialmente pessoal. Isso sig-**

nifica que não deveríamos usar a palavra "relação" para as trocas de carícias, já que elas podem acontecer de forma solitária, e também porque o outro é tão indiferente que parece estar apenas a serviço de desencadear nossa excitação. Estou me referindo, é claro, às trocas de carícias entre pessoas que não nutrem sentimentos amorosos entre si. Penso que é o que acontece quando um homem procura uma prostituta. Alguém me disse que trocar carícias com uma prostituta pode ser chamado de "masturbação terceirizada"! É assim que entendo as trocas eróticas entre crianças e também entre adultos que mal se conhecem. Acho inadequado chamar de "relação" ao que acontece, por exemplo, entre pessoas que não se conhecem e não se vêem em uma sala escura nos fundos de uma danceteria.

O crescimento da indústria pornográfica está conduzindo nossa sexualidade, essencialmente pessoal, cada vez mais para o domínio das fantasias. Aliás, nessa área, as fantasias sempre representaram um papel de grande importância, de modo que o sucesso do material produzido em quantidades extraordinárias nos dias de hoje deriva de uma disposição que sempre existiu em nós.

Penso que a maior parte das pessoas se diverte mais com suas fantasias eróticas — quando estas não envolvem sentimentos amorosos — do que com a prática sexual. Assim, não me espantam os dados recentes que mostram as pessoas cada vez menos interessadas no "sexo casual" e cada vez mais ligadas no

"**sexo virtual**", recheado de fantasias, onde acontece tudo do jeito e no ritmo que desejam. Termina quando querem: basta apertar um botão. Nada é mais consistente com a idéia que venho defendendo de que o sexo propriamente dito, desvinculado de outros sentimentos, é fenômeno pessoal ao longo de toda nossa vida.

Cabe ressaltar mais um aspecto que não pode faltar quando pensamos na questão sexual. Ele diz respeito ao enorme prazer que muitos homens e mulheres sentem no jogo erótico, nas etapas de sedução e conquista, quando o objetivo final está relacionado apenas com a possibilidade de uma intimidade física. Não é raro que nesse jogo a sexualidade esteja fortemente associada à agressividade, de modo que a conquista erótica aparece como a derrota do conquistado; seria sua rendição — como numa guerra. O prazer de conquistar corresponde ao de dominar, de subjugar o outro. Isso pode estar associado a uma dose enorme de excitação sexual; é lamentável, mas é um fato. As associações entre sexo, poder e agressividade foram descritas por mim em detalhe no livro *A libertação sexual*.

Nesse jogo pesado e violento da conquista erótica vale tudo. Os homens mentem e prometem o que sabem que não vão cumprir. Elogiam as mulheres de forma falsa e depois se gabam para os amigos de tê-las conquistado. Os amigos são os homens, e o objeto do desejo são as mulheres — inimigas? As mulheres não são presas ingênuas e dóceis — a não ser umas poucas, talvez menos inteligentes. Elas também usam seus dotes físicos para provo-

car o intenso desejo visual masculino. Querem sentir os homens rendidos a seus pés, loucos por elas. Depois decidirão se vão ou não aceitar sua abordagem física — e são elas, é claro, que estabelecem as regras acerca do que eles podem ou não fazer. Nada mais humilhante para os homens, que se vingam da mesma forma, desprezando-as logo depois de saciados sexualmente.

É com enorme satisfação que constato o decréscimo dessas práticas entre os jovens com menos de 20 anos de idade. Boa parte dos rapazes só se dispõe a ter intimidades físicas mais consistentes, o que vale dizer que isso acontecerá quando estiverem sentimentalmente encantados por alguém. Muitos são virgens aos 18 anos de idade e não se envergonham disso, o que seria impensável há poucos anos. Isso poderá desmontar a dramática guerra entre os sexos, que parece estar se esgotando depois de cinco mil anos de vida!

O jogo erótico que descrevi é fortemente influenciado por elementos agressivos. Porém, mais um ingrediente o alimenta de forma importantíssima e corresponde a um aspecto fundamental da nossa sexualidade: a vaidade.

catorze

Não consigo deixar de me surpreender com a negligência com que temos tratado a questão da vaidade. **Por razões que não interessam discutir aqui, a psicologia se afastou do tema que ao longo de nossa história já foi tratado como mais que essencial. No Eclesiastes está escrito: "Vaidade das vaidades; tudo é vaidade". É a partir desse ponto que tenho tentado, inúmeras vezes, retomar o tema.** Os prazeres sempre têm duração limitada porque implicam sensações relacionadas com mudanças de patamar. Os prazeres positivos costumam durar o tempo no qual estamos expostos a dada situação. A excitação sexual, prazer positivo por excelência, dura o tempo do ciclo erótico que se extingue com a ejaculação ou o orgasmo. **O prazer exibicionista relacionado com a vaidade dura enquanto existirem observadores encantados.** Se uma criança estiver exibindo, toda orgulhosa, seu relógio novo, o prazer terá a duração correspondente à capacidade de atrair a atenção dos que estiverem por perto.

Afinal, que prazer é esse que sentimos ao nos exibir e atrair olhares de admiração? Por que isso é capaz de provocar em todos nós significativos momentos felizes?

Tais momentos são tão relevantes que estamos dispostos a grandes sacrifícios para vivenciá-los.

Considero a vaidade um estranho componente do instinto sexual e um dos mais inesperados elementos presentes em nossa subjetividade. É curioso perceber que nos excitamos sexualmente quando nos reconhecemos o centro das atenções — por uma razão positiva, é claro. Trata-se de uma excitação que é prazer em si mesmo e não caminha na direção da resolução — como acontece com a excitação que deriva das trocas de carícias. Só se desfaz quando desaparecem os observadores. Trata-se de um desequilíbrio homeostático que gostaríamos muito que se perpetuasse.

Não tenho a menor condição de dizer como e por qual razão somos assim. A observação nos sugere que as manifestações iniciais da vaidade acontecem na infância e que o fenômeno ganha corpo com a maturação sexual, na puberdade. **À gratificação da vaidade corresponde uma dor de dimensão igual e que é a humilhação: se viermos a ser olhados com desprezo, de cima para baixo, padeceremos grande sofrimento.** A simples desatenção já provoca o desconforto terrível derivado do fato de não termos conseguido chamar a atenção de forma positiva.

Não consigo deixar de me surpreender com o peso, a importância e o poder que esse efêmero prazer erótico de caráter exibicionista exerce sobre nossa subjetividade e também sobre a maneira como organizamos nossa vida. Igualmente surpreendente foi a intuição genial de

Freud, que percebeu a intromissão da sexualidade em tudo que somos, pensamos, pretendemos e fazemos. **A vaidade se manifesta de forma simples e direta quando pretendemos chamar a atenção das pessoas pela nossa aparência física. A situação se torna um pouco mais complicada quando o objetivo não é o de atrair a atenção apenas para o nosso corpo, mas também para os adornos que usamos sobre ele — ou ao seu redor.** Nesse momento já entraram em ação vários ingredientes essenciais do que corresponde à nossa vida dita civilizada.

As roupas que nos cobrem, por exemplo, indicam, de forma indireta, diversas outras propriedades que nos caracterizam: se elas forem pouco usuais, indicarão nossa forma extravagante de ser e viver; se forem escolhidas de forma harmoniosa, demonstrarão como temos bom gosto; se forem roupas visivelmente caras, darão sinais da nossa condição financeira etc. Nossa aparência denota que desejamos ser reconhecidos como parte de determinado subgrupo social. Isso faria que nos sentíssemos aconchegados por estar integrados a ele e também ajudaria muito no encontro rápido de nossos pares. Um jovem que gosta de usar drogas, por exemplo, e que esteja fora de sua cidade não terá dificuldade de encontrar no novo ambiente os membros de sua "tribo", desde que ela se caracterize por determinado estilo de roupas e outros adornos.

É interessante notar que pertencer a uma "tribo" provoca dois sentimentos concomitantes: o indivíduo se sente aconchegado por ser parte de um todo que o

engloba e também se sente extravagante por chamar a
atenção das outras pessoas — que não são daquela
turma —, o que desencadeia o prazer erótico da vaidade. Trata-se de uma solução engenhosa que também
nos ensina que o exibicionismo por si nos isola e nos faz
solitários. Só chamamos a atenção quando nos destacamos, e para isso precisamos nos afastar do modo de ser
dos observadores, o que nos leva à condição de solidão.
Nosso instinto sexual está comprometido com o individualismo, ao passo que nosso anseio de aconchego amoroso só se resolve por fazermos parte da "tribo", nossa
nova família.

Esse inesperado componente de nossa sexualidade
é tudo menos inofensivo. Sim, porque quando uma
pessoa se destaca e atrai olhares de admiração, ativa
também a formação de juízos de valor de natureza
comparativa. A moça que olha com admiração para outra muito bela não poderá deixar de se comparar e sentir a diferença que a rebaixa e humilha. O momento
feliz daquela que se destaca corresponderá a momentos profundamente infelizes das que a estiverem observando e se sentindo humilhadas — nas quais é inevitável a presença de algum tipo de agressividade
derivada da inveja. A felicidade (aristocrática) de uma
é fonte da infelicidade de inúmeras outras.

Assim, esse aspecto da sexualidade já traria complexos problemas para a organização social se estivesse
restrito à aparência física. Acontece que nos destacamos por vários outros meios. Nossa posição financeira

é visível pelo tipo de objetos que possuímos, pelo carro que usamos, pela casa onde moramos etc. A felicidade material (um prazer negativo derivado de termos o que necessitamos e uma via de acesso a prazeres positivos ligados à aquisição de novos bens que são objeto de desejo de muitos) também é aristocrática: provoca humilhação, inveja e revolta naqueles que não têm o que gostariam — e que, muitas vezes, diz respeito apenas ao essencial.

E tem mais: a vaidade se intromete também em nossas atividades profissionais, de modo que nos excitamos quando nos destacamos também nessa área. Queremos ser reconhecidos pela inteligência, pelo saber que conseguimos acumular, pela forma elegante e lúcida como mostramos esse saber aos nossos interlocutores. **O exibicionismo intelectual também provoca admiradores. Provoca humilhados e invejosos. Atiça disputas no mundo do trabalho, tanto nas grandes corporações como nas universidades.**

Os ingredientes não são excludentes, de modo que o sucesso profissional costuma implicar sucesso material e pode abrir portas para uma forma mais elegante de ser e até para o aprimoramento da aparência física. Abre portas também para que se atraiam parceiros sentimentais mais interessantes, o que reforça ainda mais a vaidade — uma vez que "desfilar" com uma pessoa muito bonita e circular com amigos bem-sucedidos desperta a admiração. Tudo isso reforça a humilhação e a inveja dos outros, fonte de crescente infelicidade no plano da vida social.

Não há, pois, como negar que a vertente exibicionista da nossa sexualidade está por toda a parte, interferindo dramaticamente no modo de ser das pessoas e da sociedade. Quase todo o mundo luta muito para conseguir os resultados positivos que só serão atingidos por uma minoria. Muitos correm e poucos chegam lá. Alguns não se sentem nem mesmo em condições de disputar, de modo que buscam a notoriedade própria dos subgrupos que se formam à margem. Estes, que são os "perdedores", se encaminham tanto na direção da marginalidade como no sentido de se tornarem membros de culturas alternativas de todos os tipos. Aí a vaidade também estará presente, e os membros desses grupos e seitas tenderão a olhar os outros com aquele duvidoso desdém próprio dos que se vêem acima de quem vive de acordo com as normas mais tradicionais.

Espero, um dia, conseguir avançar mais no entendimento dos mecanismos relacionados com a vaidade. **Por ora gostaria de ressaltar quanto esse prazer erótico contém elementos nocivos tanto para a felicidade individual como para o bem-estar social. Os prazeres momentâneos vivenciados por poucos condenam à humilhação e, portanto, à infelicidade a maior parte da população. Não creio que os prazeres relacionados com o destaque dos bem-sucedidos contrabalancem os efeitos colaterais negativos relacionados com a inveja que esses prazeres provocam em pessoas que poderiam ser amigas, com a hostilidade agressiva vinda de tantos desconhecidos e com terem de viver se pro-**

tegendo por força da insegurança que se cria em uma sociedade onde grassa a violência.

Este livro trata da felicidade, de modo que cabe o alerta: os mecanismos que provocam os prazeres momentâneos da vaidade são os mesmos que estão na raiz de algumas das nossas maiores fontes de sofrimento. Não existe solução fácil, já que o exibicionismo é parte de nosso poderoso instinto sexual. O que não faz sentido é estimularmos e valorizarmos ainda mais esse aspecto da nossa subjetividade — como acontece hoje em dia. Um impulso se arrefece ou se exacerba conforme a posição racional que assumimos em relação a ele. Se nos colocamos a favor do sucesso e vivemos perseguindo o destaque, estaremos atiçando ainda mais nossa vaidade, que não precisa de nada disso para ser poderosíssima.

15

quinze

Minha intenção agora é a de fazer algumas considerações acerca dos prazeres corpóreos capazes de provocar momentos de felicidade que não estejam ligados exclusivamente a práticas sexuais ou ao exibicionismo da vaidade. É fato que o erótico sempre participa; mas não é tudo. Penso, por exemplo, no prazer que uma pessoa pode sentir ao ser capaz de realizar com o corpo movimentos harmônicos que acompanham o ritmo de uma música. A habilidade não é universal, mas os que têm jeito para isso sentem um prazer incrível, que não pode ser reduzido apenas ao erotismo exibicionista. Alguns dançam sozinhos em casa, de modo que a vaidade não está presente com força. Outros adoram se diluir nas multidões que caracterizam certas festas populares. Há um prazer corpóreo propriamente dito.

Penso de forma parecida quando observo o comportamento das pessoas que decidem participar de um grupo que se propõe treinar corridas de resistência e cujo prazer está relacionado com a busca de um ótimo condicionamento atlético para "uso" exclusivamente pessoal. Ao treinar para as maratonas, é claro que não estão pensando em se tornar recordistas olímpicos. Buscarão o aprimoramento crescente, importante fator de satisfação íntima. Encontrarão também agradáveis benefícios derivados da liberação de endorfinas ao longo dos treinos extenuantes, por si uma agradável recompensa.

Não excluo das motivações que levam a tais práticas os ingredientes relacionados com a vaidade e, indiretamente, com o jogo de conquistas eróticas. É provável que passe pela cabeça daqueles que decidem aprimorar a forma atlética de modo constante e sistemático a idéia de que perderão peso e terão uma musculatura mais bem definida, condição na qual ficariam mais atraentes aos olhos das pessoas. Não creio, porém, que esse seja o ingrediente predominante quando dedicam tanto empenho a um esporte individual no qual jamais serão astros.

Quando o objetivo é essencialmente voltado para a questão estética — relacionada diretamente com a vaidade —, penso que as pessoas tendem a se dedicar à musculação e aos exercícios que mais ou menos rapidamente modificam o corpo. As corridas provocam alterações muito discretas quando comparadas com o esforço praticado. Os que levantam peso dão sinais muito mais evidentes de exuberância muscular, adquirida em poucos meses, do que os maratonistas. Além disso, os fisicultores gostam muito de exibir seus resultados, de modo que usam roupas específicas que têm como objetivo mostrar suas conquistas.

Podemos, pois, pensar na presença de um prazer íntimo naqueles que praticam um esporte individual de forma não competitiva. É possível que o maior prazer esteja

ligado ao aumento da auto-estima que se alimenta da disciplina: se nos propomos um determinado desafio e vamos atrás de realizá-lo de forma determinada e persistente, experimentamos momentos de felicidade derivados do contentamento íntimo que nasce da satisfação por termos cumprido o que havíamos combinado conosco. **Se alguma disputa existe, ela é interna: sempre pretendemos avançar e conseguir resultados superiores aos já alcançados. Ainda que o resultado de hoje seja medíocre em comparação com o dos campeões, terá o importante significado de indicar quanto estamos conseguindo evoluir.** O benefício estritamente físico é observável pela facilidade com que são praticadas as atividades cotidianas corriqueiras, tais como subir escadas, correr para atravessar uma rua, ter uma postura corpórea mais adequada etc.

Assim, fica claro que a vaidade conta pouco e que a auto-estima conta muito mais. **A auto-estima depende do juízo que faço de mim mesmo, ao passo que a vaidade depende da avaliação das outras pessoas.** Enfocar a auto-estima em vez da vaidade faz todo sentido, já que nos ajuda a depender menos da opinião e dos aplausos dos outros. Além disso, **os momentos felizes derivados de um ganho na auto-estima são de natureza democrática, pois não implicam prejuízos ou impedimentos para outras pessoas.** Cada membro do grupo faz sua corrida e trata de progredir com o intuito de se deleitar com o avanço — o que não gera obstáculo algum para os colegas.

Flávio Gikovate

Todos os membros de um grupo de corredores amadores podem estar em evolução. Todos podem ter ganhos de auto-estima e nenhum estará buscando ganhos importantes na vaidade, já que todos são corredores medíocres! **Não surpreende que nesses grupos construam-se bonitas relações humanas, tanto na linha das amizades como na dos bons relacionamentos amorosos. A verdade é que o fato de estarem todos empenhados em um projeto comum e não competitivo cria uma atmosfera interpessoal cada vez mais rara em nossas sociedades corroídas pela vaidade e pelo desejo de superação — não de si mesmos, mas dos outros.**

É desse tipo de práticas esportivas que deriva a idéia de que elas podem ajudar — e muito — na integração e no aprimoramento do convívio entre crianças, adolescentes e mesmo adultos. As aulas de dança, o balé e algumas outras atividades guardam semelhança com o que descrevi. Nos esportes competitivos, porém, mesmo quando praticados de forma amadora, podemos encontrar muitos indícios da presença mais insistente da vaidade. É claro que as disputas entre dois times de vôlei de praia num domingo de manhã são bem mais amenas do que as que ocorrem nas competições mais formais entre clubes. Mas muitos ficam irritados quando o resultado é negativo, condição na qual podem ter a sensação de que o domingo foi de tensão e estresse. Alguns agem de forma grosseira em relação aos colegas, de modo que o dia de descanso e lazer fica fortemente prejudicado pela atividade que se pretendia ingênua.

Penso que se trata de uma ótima oportunidade para que as pessoas "treinem" essa capacidade psíquica essencial que é o desenvolvimento de uma boa tolerância a frustrações e contrariedades. Isso acontece em muitos casos, mas em outros a rivalidade e a competição crescem a ponto de se aproximar das piores características das nossas sociedades competitivas. Surgem todos os ingredientes moralmente duvidosos: o suborno, o forjar de resultados por meio de mentiras e outras práticas ilícitas etc. No esporte profissional, então...

Em um jogo de tênis o outro é adversário e não será tão fácil ficarmos felizes por estar progredindo — em comparação com o que éramos antes — quando acabamos de perder a partida. A auto-estima pode ficar abastecida, mas a vaidade estará ferida. O bom senso deve interferir, e quem quiser ser feliz deve optar pela primeira parte da equação. Esse exemplo nos permite refletir mais profundamente a respeito de quanto a vaidade — e a tendência que ela determina de nos compararmos com os outros — pode nos prejudicar e subtrair a possibilidade de usufruirmos momentos felizes de caráter democrático. À vaidade só interessa o destaque, o estar acima dos outros. A vaidade é, pois, aristocrática por excelência.

16 dezesseis

O tema agora é o dos prazeres positivos relacionados com a alma. **Uso "alma" como sinônimo de mente de uma forma totalmente responsável.** Ou seja, acredito que, a partir da sofisticação de nosso sistema de pensamento que acontece ao longo dos primeiros anos de vida, refletimos de maneira bem independente da atividade cerebral. Sei que o pensar se origina nesse órgão e sei muito bem como a forma de pensar pode se alterar em decorrência dos distúrbios que podem acontecer aí, tanto por razões anatômicas como bioquímicas. Sei também que quando a atividade cerebral está normal nosso pensamento é livre, único e capaz de "viajar" por caminhos desconhecidos. Assim, as reflexões que fazemos sobre a vida, a moral, a organização social, o futuro etc. não parecem ter nada que ver com as reações químicas que acontecem no cérebro.

Para fins práticos, nossas vivências validam a idéia da existência de um elemento imaterial que caracteriza o sistema de pensar sobre nossas sensações e sobre questões as mais abstratas, tais como: qual o sentido da vida? Qual o valor dos sacrifícios? De onde viemos? Não consigo cogitar da hipótese de que essas questões derivam "apenas" da atividade neuronal. Chamo, portanto,

de alma o nosso processo reflexivo. Faço isso em respeito a uma dualidade milenar — hoje contestada de forma veemente —, porque é assim que vivenciamos a vida.

Aliás, é sempre bom lembrar que a alma também interfere no cérebro e em todo o corpo: um pensamento negativo ou de medo pode provocar reações físicas correspondentes à tristeza ou respostas neurofisiológicas idênticas às que acontecem diante de uma ameaça real. Corpo e alma interagem o tempo todo. Não me refiro à alma no sentido religioso porque ela implica uma hipótese que não podemos provar, qual seja, a de sua permanência depois da morte do corpo. Aí o terreno se torna movediço e felizmente não me pertence! A alma contém, pois, o conjunto de nossos pensamentos, convicções e reflexões. Ela me permite escrever — ao menos é o que sinto agora — e é o que faz o leitor me ler e tentar acompanhar o que se passa dentro de mim. O termo é ótimo porque nos dá a clara indicação da autonomia do pensamento sobre a química cerebral. Considero o desejo dos neurocientistas de integrar a alma ao corpo, ao menos no domínio da psicologia normal, precipitado e, por ora, sem fundamento. É muito pouco o que pudemos avançar nessa direção.

Voltemos ao fato: parece que, em algum momento do segundo ano de vida, cansamo-nos de ficar apenas no colo materno. Aprendemos a andar e isso nos agrada muito. Desenvolvemos crescente curiosidade e interesse pelos objetos que nos cercam. Gostamos de colocá-los na boca, tocá-los para sentir sua textura, cheirá-los. A curiosidade vai se tornando ilimitada, quase temerária. **Ao sofrermos algum revés — um tombo, um animal ou objeto que nos machuca etc. —, choramos e voltamos correndo para o colo materno. Apaziguamo-nos e de lá saímos para continuar a luta, em expedições de reconhecimento do mundo que nos cerca, da mesma forma que já havíamos feito tateando nosso corpo ao longo dos últimos meses do primeiro ano de vida.** Graças a esse empenho fomos contemplados com a descoberta da excitação sexual derivada do toque das chamadas zonas erógenas.

Tudo indica que as criancinhas experimentam enorme satisfação ao descobrir algo que desconheciam, ao conseguir notar alguma correlação entre os objetos, ao ser capazes de encaixar uma parte de um brinquedo de montar na outra. O rosto se ilumina e o sorriso é farto. O prazer parece ser claramente pessoal e totalmente independente dos observadores. É fato que as ações das crianças geralmente são acompanhadas de adultos que costumam aplaudir as novas conquistas. Assim, elas "aprendem" que o sucesso relacionado com o ato de aprender é algo que agrada. Aprendem que o bom resultado pode ser exibido, de modo que provoque mais satisfação.

Acredito piamente na autonomia do prazer derivado do aprendizado e acho que o reforço externo produzido pelo aplauso dos adultos estimula precocemente o acoplar da vaidade — prazer erótico ligado ao ato de se exibir — a uma satisfação essencialmente pessoal. **Não**

creio, pois, que os prazeres intelectuais sejam de natureza erótica. Acredito que o prazer intrínseco relacionado com a descoberta do mundo é precoce e ina-
dequadamente relacionado com a vaidade. A gravidade
dessa associação costuma manifestar-se de mais de uma
forma e prejudica muito o usufruto do prazer intrínseco
em quase todas as pessoas que se tornarem excessiva-
mente dependentes dos elogios.

O fim da autonomia do prazer intrínseco relacionado com o aprendizado, com os avanços no processo de
"abastecimento" da alma, é uma das piores coisas que
podem acontecer a uma pessoa. A capacidade de ir
atrás de novas informações, de novos prazeres sensoriais ligados às artes e também aos filmes e livros mais
complexos — que exigem mais empenho e esforço para
sua plena compreensão — é fonte importantíssima e
inesgotável de prazeres positivos. Não é necessário nenhum tipo de mal-estar ou insatisfação para que possamos nos comover com uma bela música ou nos deleitar
com um filme intrigante, entre tantos outros prazeres
ligados à nossa vida íntima. São óbvios prazeres positivos e são essencialmente democráticos, já que existem
músicas e filmes para todos os gostos.

As satisfações genuínas ligadas ao aprendizado, ao
conhecimento crescente das coisas da vida e das obras
dos homens, só existem naquelas pessoas que não se
deixaram contaminar demais pela vaidade, "ensinada"
por meio de aplausos precoces e indevidos daqueles
que nos educaram. Essa associação pode determinar

dois tipos diferentes de reação, dependendo da forma como evolui o aprendizado de cada criança. No caso mais comum, as crianças tendem à perda progressiva da capacidade de provocar a admiração dos observadores e, com isso, vão perdendo o interesse pelos temas que antes provocaram os aplausos.

O exemplo mais simples e corriqueiro talvez seja a conseqüência das exageradas manifestações de admiração dos pais por aqueles desenhos singelos e banais que seus filhos trazem da escola aos 3 ou 4 anos de idade. Talvez eles nem devessem ser trazidos, e assim os pais não precisariam aplaudir tanto uma "obra" nada brilhante. As crianças que ficarem muito dependentes dos elogios vão, aos poucos, desinteressar-se do desenho, pois serão exigidas de uma forma cada vez mais rigorosa e o elogio fácil desaparecerá. **Similarmente, poderão se desinteressar progressivamente dos temas nos quais encontrarem alguma dificuldade e não conseguirão mais obter os aplausos que se tornaram vitais. Aos 15 anos de idade poderão fazer parte do enorme contingente de adolescentes que declaram com todas as letras não gostar de nada a não ser de assistir à TV, tomar sol na praia ou ir às baladas e ingerir bebidas alcoólicas ou outras drogas.**

Essas criaturas desinteressadas de tudo não foram estimuladas a cultivar aquele genuíno prazer inicial, que todos sentimos, relacionado com a aquisição de conhecimentos. Abandonaram a rota por falta de reforços externos que se tornaram essenciais. Passaram a

fugir de medo das situações de humilhação relacionadas com as críticas que sucedem os elogios fáceis e gratuitos e se tornam totalmente inoperantes. **Educar é tarefa muito séria e os pais deveriam refletir mais sobre as conseqüências de seus atos.**

No segundo caso, o resultado é igualmente nocivo: **as crianças que vão bem nas atividades escolares acabam desenvolvendo grande apego aos elogios** — além, é claro, de manterem o gosto pelo conhecimento. Caso venham a ter problemas com a socialização — o que é comum, pois os colegas costumam atribuir apelidos pejorativos aos que se empenham nos estudos — ou com aspectos relacionados com o corpo (aparência física menos exuberante do que gostariam, incompetência para práticas esportivas etc.), tenderão a transformar as aptidões para o aprendizado em instrumento exibicionista e agressivo. Ou seja, **usarão o saber acumulado como elemento de afirmação pessoal e a serviço de vinganças contra aqueles que os humilharam. Exibir o conhecimento de forma desnecessária e esnobe é prática corrente de inúmeros intelectuais** que, por essa via, buscam o destaque e a revanche em relação às humilhações de que possam ter sido vítimas em algum momento do passado.

Cultivam o gosto pelo conhecimento e pelo aprendizado. Mas não o fazem com a pureza e a delicadeza que caracterizam as primeiras ações infantis e que talvez sejam extremamente importantes para o pensar verdadeiramente livre. Os procedimentos assim conta-

minados com vaidade e ressentimentos dificilmente poderão produzir obras que não sejam gravemente prejudicadas por esses ingredientes. Tenderão a transformar seu saber em aristocrático, de modo que terão grande satisfação em não se fazer inteligíveis para a maioria das pessoas. Certamente não é esse o caminho a ser percorrido na busca da construção de um mundo melhor.

Sei que existe um bom número de pessoas que foram capazes de perpetuar o gosto singelo pelo aprendizado e pelo acréscimo permanente de conhecimento — e os avanços na qualidade de vida que derivam daí. Incluo-me nessa categoria de pessoas e a elas tenho dedicado meus trabalhos. É claro que não desconheço a presença da vaidade, já que ela está em todo lugar. Mas, como dizia Santo Agostinho, "entre a vaidade e a verdade não tenho dúvida acerca do que escolherei". A pitada de vaidade não desqualifica o caráter democrático do prazer de aprender, pois ela também pode ser sentida por todos, de modo que não tem o caráter excludente que tanto me incomoda.

dezessete

Quanto mais estivermos alertas para os perigos da vaidade, especialmente quando ela se imiscui nas coisas da alma, melhor. A intromissão do erotismo exibicionista perturba muito o livre pensar, já que imprime ao conhecimento uma intenção agressiva e de promoção pessoal totalmente incompatível com a busca da verdade — que, apesar de inatingível, é o único objetivo do conhecimento.

A forte presença da vaidade reforça a tendência, determinada também por outras razões, ao enraizamento do sistema de pensamento em alguma doutrina sólida, coerente e rígida. Pessoas que a defendem o fazem com a arrogância própria dos donos do saber. Tais doutrinas costumam ter caráter salvacionista, apresentam-se como capazes de resolver definitivamente todos os problemas da existência, tanto os psicológicos como os sociológico. Naquelas narrativas mais sofisticadas não há a plena resolução dos dilemas, mas as explicações são completas e tidas como satisfatórias, o que parece ser grande consolo para as pessoas que lidam mal com as dúvidas.

Acredito que a capacidade de lidar bem com as dúvidas seja o requisito fundamental para que tenhamos

um psiquismo poroso, receptivo a novas idéias e também a novos fatos. É curioso observar que a grande maioria das pessoas lida mal com as dúvidas. Sentem-se inseguras, ameaçadas, sem chão sobre o qual se apoiar. Quando surge um fenômeno inesperado e não catalogado, buscam desesperadamente uma explicação. Ou então tratam de negá-lo. Um exemplo esclarecedor faz parte de minhas experiências da juventude, quando, em férias num hotel do interior, acompanhei uma brincadeira de dois rapazes que tentavam simular uma experiência de telepatia. Pediam para as pessoas presentes escreverem num papel uma palavra e depois aquele que estava com o papel tentava "transmitir" a palavra falando e fazendo perguntas que certamente correspondiam ao código que tinham combinado para a transferência de informações pela via da palavra.

Acontece que, de repente, eles foram surpreendidos pelo fato de que não precisavam mais fazer uso desse expediente e que, de fato, estavam sendo capazes de se comunicar pela via telepática. De volta das férias comentei com algumas pessoas sobre o fato e muitos me disseram: "Isso é farsa, é bobagem, telepatia não existe". Os que não negaram sua existência perguntavam: "Mas como é que se explica isso? São ondas eletromagnéticas? Se não é isso, o que é, então?" Os que aceitam o fato necessitam de uma explicação imediata. Não conseguem se colocar da forma que, penso, é a mais adequada, qual seja, a de que o fenômeno existe e não temos a mais vaga idéia de como explicá-lo.

Aquelas pessoas que negarem o fenômeno ou se precipitarem na escolha de uma explicação duvidosa assumirão uma postura estéril e improdutiva, ao passo que as que aceitarem o convívio com o fato constatado e com a falta de uma explicação consistente poderão contribuir para que, um dia, encontremos uma forma satisfatória de explicar o fenômeno. Aceitar a dúvida cria, portanto, as condições para a porosidade e a criatividade. Assim, a postura criativa pressupõe rigor na observação dos fatos e aceitação da própria ignorância. Implica não ter urgência em solucionar as questões e também não recorrer sempre à via da dedução. O caminho dedutivo é o que se fundamenta no que já se sabe para tentar explicar o fato novo. Partimos sempre de nossas convicções bem estabelecidas e tratadas como verdadeiras. Ao agirmos assim, ficamos sem condições de introduzir novas hipóteses e novos pontos de vista, condição essencial para o verdadeiro enriquecimento do saber.

A dedução é, pois, pobre e perigosa. Trata-se de um recurso intelectual fundado na lógica que deveria ser usado com a máxima cautela, principalmente quando estamos diante de fatos aos quais temos acesso pela observação direta — fenômenos físicos, biológicos ou mesmo sociológicos. O trajeto intelectual que se inicia com a ingênua observação dos fatos e continua com o caminhar na direção das hipóteses que os expliquem pode ser mais longo e espinhoso, mas é extremamente mais seguro do que o trajeto inverso, o que parte das doutrinas que já abraçamos para, com base nelas, ex-

trair as explicações para cada novo fato. **O perigo e a tentação de agir de forma dedutiva é maior quando o corpo teórico no qual nos alicerçamos é vasto, consistente e aceito por muitas pessoas. Por meio dele podemos explicar quase tudo. Mas será que estaremos mesmo chegando perto da verdade? Nem tudo que é lógico é verdadeiro!** A psicanálise é um bom exemplo de teoria abrangente e muito bem fundamentada. Se aceitarmos uma de suas premissas — a de que sexo e amor fazem parte do mesmo instinto —, podemos, observando o comportamento de um menino pequeno com a mãe, concluir que ele a deseja sexualmente. Poderemos pensar que a menina que pula, com as pernas abertas, sobre a perna do pai, está tendo desejo sexual por ele — até porque seu clitóris estará sendo estimulado, o que poderá determinar a excitação. **Agora, se partirmos da observação dos fatos e não da teoria, perceberemos que o menino é ligado sentimentalmente à mãe e que ele se sente aconchegado — e não excitado — junto dela. A menina se excita pulando sobre a perna do pai, mas sente o mesmo se estiver pulando sobre o braço da poltrona. Além do mais, excitação não é sinônimo de desejo. Desejo implica ação — ou intenção de agir —, ao passo que excitação é apenas uma sensação.** No caso da menina, a excitação é determinada pela estimulação da zona erógena, que pode acontecer por várias formas.

Cérebros porosos privilegiam a observação sobre a reflexão, especialmente a de caráter dedutivo. Acham

que a reflexão tem de acontecer com base na observação: as teorias nascem dos fatos e deverão forçosamente ser destruídas por novos fatos, que, por sua vez, exigirão novas teorias. As pessoas que baseiam a forma de
pensar nas grandes doutrinas acabam se distanciando
dos fatos de forma perigosa, de modo que parecem não
se deixar influenciar por eles: suas convicções ganham
um caráter definitivo, atemporal, quase religioso.
Por que os que se comprometem demais com a vaidade intelectual tendem a se encantar pelas ideologias sofisticadas? Porque podem se tornar poderosos oradores, dis-
cursando sobre o saber que colecionaram, tratando de
explicar tudo e todos de acordo com a doutrina abraçada.
Sentem-se poderosos, superiores, detentores de um saber
especial por meio do qual se exibem e, conforme já registrei anteriormente, humilham aqueles que sabem menos.
Desenvolvem aquele ar arrogante tão típico dos detentores do falso saber. Os mais espertos assumem uma postura de falsa humildade — impostura ainda maior.
O convívio com as dúvidas não faz bem à vaidade, já
que sabemos que todas as nossas convicções podem
estar equivocadas e que teremos de substituí-las por
outras a qualquer momento. O único orgulho dos que
toleram a dúvida é o de se sentirem com a força interior e a coragem para viver sem o respaldo de uma doutrina fechada que explique tudo. Sim, porque as grandes
narrativas também servem para atenuar as inseguranças
diante da vida e da condição de desamparo e desinfor-
mação acerca dos grandes mistérios que nos cercam.

As pessoas muito inteligentes e portadoras do genuíno gosto pelo conhecimento poderão fazer parte de um grupo capaz de construir um novo sistema de pensamento. Aos poucos tenderão a se apegar às doutrinas que elas mesmas elaboraram e passarão a exercer a vaidade pela via da divulgação de seus feitos. Tornar-se-ão insensíveis aos contra-argumentos, de modo que ficarão rígidas, perdendo a porosidade inicial que gerou as novas idéias. Passarão a viver num universo psíquico fechado, no qual a criatividade terá se esgotado. O processo parece-me inevitável para essa primeira geração, a dos criadores da nova teoria monumental — construída em oposição a alguma outra em voga até então. **O problema está na geração seguinte: se os sucessores e seguidores não se posicionarem de forma crítica em relação à doutrina original, acabarão por se tornar repetidores compulsivos de pensamentos que eles não produziram e sobre os quais não refletiram de forma adequada, também não os confrontando com novos fatos e outras hipóteses. Estes não serão mais portadores de idéias, e sim de crenças, concepções pré-moldadas construídas por ancestrais que são aceitas de forma não crítica.**

Concordo com a idéia de Ortega y Gasset de que os alicerces de nosso sistema de pensamento têm de ser constituídos por crenças, condição necessária para que possamos começar a atividade intelectual. Ou seja, precisamos aceitar aquilo que nos é ensinado nas escolas, as primeiras lições sobre todos os assuntos. Elas formarão a

base, e as dúvidas aparecerão sempre que uma crença não for adequada para explicar algum fato novo que está sendo observado. Ao colocar em xeque as crenças, começamos a desenvolver a porosidade da qual derivam tensões e também os prazeres relacionados com o aprender. **Manter um cérebro poroso é o caminho para a perpetuação do genuíno prazer relacionado com o uso da nossa potencialidade intelectual que visa a uma evolução permanente. Implica forçosamente uma postura de humildade em relação ao saber de que dispomos e a convicção absoluta em sua temporalidade. A vaidade se expressa na coragem de agir dessa forma e não deve interferir no conteúdo dos pensamentos. O trajeto é bastante diferente naqueles que aderem de forma rígida a alguma grande doutrina que tudo explica; aqui o aprendizado em si deixa de ser o essencial e está, mais que tudo, a serviço da vaidade, da exibição de um saber excepcional que contém fortes ingredientes agressivos — além de ocultar a falta de coragem de viver no universo da dúvida. O caminho daqueles que buscam a felicidade é, obviamente, o primeiro.**

dezoito

Na prática, carregamos um aglomerado de crenças que incorporamos do que aprendemos das gerações anteriores — e ainda nos servem, nos satisfazem —, mescladas a idéias que construímos com base em nossas observações e reflexões. Em cada momento pensamos no que fomos, no que somos e também no que gostaríamos de ser. Percebemos que ainda temos muitos elos a nos prender ao passado; eles derivam de experiências que nos marcaram de forma tão intensa que se tornou muito difícil apagá-las.

Quando avaliamos aonde queremos chegar e as dificuldades encontradas para alterar determinados padrões de comportamento, somos obrigados a perceber a força dos processos que nos atam ao já vivido. Somos forçados também a perceber como é difícil mudar, como é difícil dissociar. **Dissociar é o oposto de associar: estabelecemos um dado padrão de comportamento por meio de associações e a ele nos apegamos de forma tão rígida que tudo parece ser reflexo condicionado. Se, por exemplo, um dia adotamos determinadas posturas sociais defensivas porque pareciam eficientes para nos proteger de agressões ou intimidades que nos ameaçavam e agora não precisamos mais manter essas atitudes,**

quem disse que conseguimos nos adaptar às nossas pretensões? Nossa nova realidade nos permite uma conduta mais aberta, expansiva e receptiva, mas não é nada fácil nos adequarmos a uma condição nova favorável — e, ainda por cima, óbvia. **Cabe citar de novo Ortega y Gasset, quando diz que o processo de dissociação requer grande "potência intelectual". O termo é ótimo, pois implica sermos capazes de gerar uma enorme força interior — como a de um trator que terá de puxar um carro atolado — para conseguirmos evoluir.** Enquanto não conseguimos avançar, vivemos uma desagradável sensação íntima de dor relacionada com o fato de que não somos capazes de agir de acordo com nossa razão. É o que faz parecer a tanta gente — inclusive aos profissionais de psicologia — que não basta tomarmos consciência dos elementos envolvidos em determinada circunstância para que consigamos mudar de conduta. Muitas vezes não basta mesmo; porém, pouco adianta perdermos tempo tentando saber mais acerca do que nos prendeu. **Mais vale uma potente razão que nos impulsione corajosamente para a frente, em busca de experiências novas. Uma experiência nova e bem-sucedida ("experiência emocional corretiva" nas palavras de Franz Alexander) pode ser o que necessitamos para deslanchar.**

A capacidade de dissociar implica, pois, uma razão forte e determinada que não se constrói de um dia para o outro. É fruto de uma postura mais ou menos constante em face de todos os obstáculos, inclusive dos pe-

quenos, daqueles que temos de enfrentar a cada dia. Essa potência intelectual deriva, a meu ver, do exercício permanente da disciplina. **A disciplina corresponde justamente à vitória da razão sobre os sentimentos e as emoções.** Ela será exercitada no enfrentamento de pequenos obstáculos; porém, sem que nos apercebamos, estamos nos preparando para enfrentar batalhas cada vez maiores.

Preciso de disciplina para vencer a preguiça que me acomete quando o despertador toca pela manhã. Trata-se de um ato simples, mas é treino muito importante. É sempre conveniente lembrar que estou me referindo a um despertador que eu mesmo regulei para tocar naquela hora em virtude de uma deliberação minha. Não estamos tratando de disciplina imposta de fora para dentro, e sim daquela obediência a normas que eu estabeleci. Preciso de disciplina para me exercitar com regularidade, para conter os gastos dentro dos limites de minhas posses — apesar de todas as tentações a que possa estar sujeito —, para me alimentar da forma que pretendo e na quantidade que convém à preservação da boa saúde e da aparência física e assim por diante.

Nada disso é fácil, especialmente se nos habituamos — ou seja, formamos vínculos poderosos — a um modo de agir diferente que vem nos acompanhando ao longo dos anos. Não é fácil alterar nem mesmo os hábitos mais elementares: é dificílimo aprender a comer mais devagar, a escovar os dentes de forma adequada, a falar de forma mais contida, a rir de maneira mais discreta etc. Apesar das dificuldades, precisamos nos empenhar nessa e em outras mudanças, o que requer disciplina — ou potência psíquica — muito grande. **A força de nossa razão tende a crescer à medida que reconhecemos sua importância e nos dedicamos a ela sistematicamente.**

Sabemos como é fácil um jovem, submetido às tentações e sugestões do meio social, começar a fumar cigarros de nicotina (nem me atrevo aqui a conjeturar sobre as outras drogas que estão por aí). Agora, se desejar parar de fumar, terá de exercer ao máximo sua potência psíquica, já que aqui se estabelece também a dependência física da droga. Ele terá de aceitar que passará por uma grande privação, que haverá grande sofrimento e que a razão será exigida no limite para que não aconteça a recaída. Tentações não faltarão. Serão necessários meses de ensaio — ao menos para a maior parte das pessoas — e algumas experiências malsucedidas até que esse jovem consiga desenvolver a disciplina necessária para vencer adversário assim difícil.

Acredito que quem se empenhar em desenvolver essa força racional poderá se opor a todo o tipo de pressões, sejam elas nascidas em sua subjetividade — desejos eróticos, agressivos, inseguranças, medos e fobias, além de outras emoções e sentimentos — ou derivadas do convívio em sociedade. Os meios de comunicação e a publicidade nos induzem o tempo todo a agir de acordo com propostas nem sempre elaboradas com bom senso — e menos ainda em sintonia com uma boa qualidade de vida. Somos induzidos a consu-

mir certos produtos, a ter tantos e tais interesses, a ter um peso corpóreo adequado ao gosto da época, a preferir determinadas músicas, comidas, bebidas, viagens, formas de vida sexual etc. **Nunca fomos tão livres e tão padronizados ao mesmo tempo. Somos livres porque não estamos sujeitos a represálias graves caso não obedeçamos às normas propostas.** A verdade é que somos tão fortemente induzidos a nos comportar de acordo com o esperado, tão sensibilizados a exercer nossa vaidade da forma como sugerem, que necessitamos de grande disciplina para nos opor a tudo isso, construir nossos valores e viver de acordo com eles. Não é fácil, mas é perfeitamente possível. **É muito mais gratificante agir de acordo com nossas convicções — idéias, não crenças —, já que isso pode gerar uma satisfação íntima mais consistente com uma boa auto-estima, coisa mais sólida e importante do que a vaidade que deriva de se exibir de acordo com o padrão oficial. Aliás, ser diferente também chama a atenção, e aí a vaidade estará em sintonia com a auto-estima.**

dezenove

O triste, insisto mais uma vez, é perceber que vivemos em uma sociedade onde a felicidade das pessoas e o seu bem-estar são secundários. Ou seja, os temas relativos ao avanço da economia e ao consumo de bens de serventia duvidosa que implicam lucro para as grandes companhias valem mais que a qualidade de vida. O mesmo acontece nas empresas: quando falam em qualidade de vida dos funcionários, pensam mesmo é em aumentar a produtividade à custa da máxima eficiência humana. A empresa ocupa-se do bem-estar de seus funcionários para que eles produzam mais e ela tenha maiores lucros.

O próprio conceito de qualidade de vida é novo e ainda tem definição precária. Vários estudos têm sido feitos na área médica com o intuito de conseguir padronizá-la e até quantificá-la — ou seja, medi-la de forma mais ou menos objetiva, dando-lhe uma expressão numérica. Interessa à indústria farmacêutica, por exemplo, saber se e quanto a reposição hormonal após a menopausa interfere positivamente na qualidade de vida das mulheres. Os laboratórios podem até estar preocupados com elas, mas o objetivo maior é provar as vantagens dessa reposição com o objetivo de vender os medica-

mentos à base de hormônios. Ainda assim, estudos desse gênero poderão gerar informações secundárias, até certo ponto inesperadas, que servirão ao nosso propósito: a efetiva melhora da vida das pessoas.

Acredito que foi por caminhos desse tipo que se conseguiu demonstrar que o dinheiro, para além do mínimo essencial, não interfere tanto na qualidade de vida das pessoas — e, portanto, na sua felicidade. Estudos voltados para interesses empresariais têm nos ajudado a entender também que as pessoas com mais de 60 anos (as da "terceira idade") podem estar vivendo uma fase da vida preciosa, livre de grandes obrigações e responsabilidades para com os filhos e mesmo com o trabalho. As que estão em boa condição física e têm uma situação material razoável podem estar vivendo a melhor fase da vida.

Na velhice já sabemos o que foi feito de nossa vida. Sabemos os sonhos que conseguimos realizar e, se fomos capazes de amadurecer e lidar melhor com frustrações, já absorvemos as dores relacionadas com aqueles que não se concretizaram. Não sofremos mais daquelas incertezas tão próprias da mocidade: "Será que vou me casar e ter filhos?" "O que acontecerá com minha carreira" "Conseguirei ser um vencedor?" Mais conciliados, podemos aproveitar o tempo que nos resta — cada vez mais longo — da forma como mais gostamos. Ou seja, a visão trágica da velhice como uma fase longa de dores e sofrimentos inexoráveis não se justifica e não mais se confirma na vida real. Ela deriva de uma forma de pen-

sar ainda forte em nossas sociedades que louva a mocidade e a beleza física.

Uma visão menos preconceituosa que não respeite tanto as crenças vigentes que só valorizam "a casca" pode nos
mostrar que é possível uma vida com qualidade mesmo
que a pele não esteja mais tão esticada — e nem o foi ar-
tificialmente, por meio de intervenções desnecessárias. A
vida sexual pode se prolongar até o fim, ainda que com
algumas limitações contornáveis. Os passeios e caminha-
das são mais que bem-vindos, e o regramento dos hábitos
alimentares pode permitir o usufruto de quase todos os
prazeres físicos por longos anos. Do ponto de vista intelectual, nossa capacidade só cresce, apesar de algum prejuízo
da memória. Aquelas pessoas que cultivam o gosto pelas
artes — literatura, música, cinema, teatro, artes plásticas
— terão mais tempo para elas e estarão ocupadíssimas. O
mesmo vale para as que se interessam por história, filosofia, religião. As de gosto mais popular terão entretenimen-
to rico e variado chegando a elas por meio da televisão.

**Acredito que o conceito de qualidade de vida se
afastará muito pouco dos elementos que venho defendendo neste livro. A pessoa estará bem quando a saúde física estiver razoavelmente bem, quando a condição material permitir acesso à moradia adequada e à
resolução das necessidades básicas — além de uma
pequena folga para o supérfluo — e quando puder usufruir os prazeres positivos relacionados com atividades físicas prazerosas, vida sexual ativa, relacionamentos de amizade e atividades intelectuais.**

Penso cada vez mais que o bom mesmo é sermos capazes de viver plenamente cada fase da vida, inclusive a maturidade. As transições podem se dar de forma um tanto tensa, mas isso não deveria ser tratado como um obstáculo intransponível. A infância tem seu charme, e a puberdade corresponde à nossa primeira grande transição. Ela é complexa e difícil, já que a chegada da maturidade sexual e do rápido crescimento do corpo nos deixa um tanto desengonçados e perplexos. Não adianta, por causa disso, decidir que não se vai ou não se quer crescer. **O corpo anda na frente, e a alma terá forçosamente de acompanhá-lo.**

Com a chegada da velhice acontece a mesma coisa: o corpo passa a sofrer limitações e a alma ainda se sente jovial. Outra vez o corpo se adianta e são muitas as pessoas que, inconformadas, recorrem às cirurgias estéticas com o objetivo de adequá-lo à alma. Penso que o sábio é agir da forma oposta: precisamos nos conciliar com nossa nova aparência, com a nova fase da vida que se inicia, e tratar de vivê-la com plenitude e alegria. Não adianta decidir que não se quer envelhecer. Será mesmo prudente tentar adiar a velhice por alguns anos? Com que finalidade?

Em aspectos como esse somos forçados a refletir um pouco sobre a vaidade, ingrediente erótico onipresente que influencia todos os nossos atos. Pensamos imediatamente no modo como estamos sendo avaliados, como estão nos vendo. As mulheres, especialmente as mais belas e atraentes, passarão por um período difícil ao perceber que seu poder sensual está diminuindo. Adiar o envelhecimento significa, para muitas pessoas, o desejo de evitar, a todo custo, essas perdas relacionadas com a aparência física num mundo em que isso é o mais valorizado. Podemos aceitar essa ditadura da beleza e da juventude e tentar nos enquadrar em suas normas pelo maior tempo possível — o que será sempre uma empreitada de sucesso relativo — ou então tratar de criar um novo roteiro, roteiro esse que não exclui a vaidade, mas que a adequa ao que realmente somos. Precisamos acabar com a idéia de que pessoas com mais de 50 anos de idade, homens e mulheres, são "cartas fora do baralho".

É interessante relembrar que as sociedades já tiveram uma atitude muito diferente a respeito da mocidade e da velhice. Há algumas décadas, as pessoas idosas eram tratadas com consideração e respeito especiais. Eram tidas como mais sábias e consultadas em caso de dúvidas. A diminuição da vaidade relacionada com a beleza e o vigor físico era contrabalançada pela deferência especial nas situações sociais e principalmente no seio das famílias. Diminuía um tipo de alimento à vaidade, mas aumentava outro, mais ligado ao prestígio. Hoje em dia se perde o primeiro e não se agrega nada, uma vez que o velho não é tido como detentor de um saber especial, de modo que não é "merecedor" de deferências. A pessoa mais velha deveria aproveitar essa realidade para trabalhar contra a vaidade e, ao menos em parte, livrar-se dela. Vive-se sempre muito melhor sem ela e é mais fácil atenuar sua importância

depois de uma certa idade. Existem muitas coisas interessantes a ser vividas para além de fazermos caras e bocas uns para os outros.

Outro fato comum nas fases mais tardias da vida é a solidão sentimental. Trata-se de evento particularmente comum para as mulheres, que vivem mais e costumam se casar com homens mais velhos do que elas. A adaptação inicial é difícil e sofrida, mas muitas pegam o gosto pela vida de celibatárias, desobrigadas das penosas — e por vezes tirânicas — exigências de seus cônjuges e filhos. Aproveitam muito bem essa fase da vida e, hoje em dia, não raramente vivenciam novos envolvimentos sentimentais e mesmo sexuais. Como regra, não costumam querer se casar novamente ou ter compromissos sérios. Por outro lado, os homens, mais incompetentes para a vida cotidiana solitária, muitas vezes se casam de novo. Perdem uma boa oportunidade de aprender mais sobre si mesmos e de se tornarem mais competentes para sobreviver por conta própria.

Se pensarmos bem, uma fase da vida em que a vaidade consegue ser domesticada e na qual se consegue ficar mais ou menos bem sozinho pode nos proporcionar um estado de liberdade individual que dificilmente conseguimos atingir nas fases anteriores. Nada mal para um período tido e havido como trágico e no qual só existiriam dores e fragilidades de todo tipo.

 vinte

Escrever sobre nossas propriedades biológicas, inatas, é penetrar em um terreno rico em controvérsias, onde a polêmica se instala com facilidade. São vários os motivos: o mais importante deles deriva da ponderação de que eventuais diferenças inatas não têm, obrigatoriamente, de se estabelecer; poderiam ser evitadas por meio de nossa inteligência e também pela ordem social que somos capazes de gerar. Vamos a exemplos que esclareçam esse ponto de vista. **Nascermos desiguais, uns mais e outros menos dotados, é um fato biológico. É fato também que, na natureza, os mais fortes prevalecem sobre os mais fracos. Isso não deve servir de argumento para que venhamos a defender uma postura política que legitime a opressão dos menos competentes. Temos capacidade de nos colocar no lugar das outras pessoas, e essa propriedade também é biológica!** Assim, podemos perfeitamente refletir e tentar construir uma ordem social menos opressiva.

É da biologia a existência, em grande parte dos homens, de um desejo sexual indiscriminado provocado pelos estímulos visuais derivados da presença de mulheres que lhes sejam atraentes. Elas também se excitam ao agir de forma capaz de provocá-los. Isso não significa, porém, que os homens têm de ir atrás de todas as que

despertam seu desejo, nem que as mulheres precisam viver para provocar os homens. Temos esse lado mamífero (biológico), mas temos a razão (também biológica), que pode e deve limitar nossas ações.

Penso que não deveríamos nos afastar jamais da busca do máximo grau de felicidade (ausência de dores, serenidade física e mental salpicada pelo maior número de momentos felizes) ou de qualidade de vida. Os que priorizam a razão e não as propriedades instintivas são os mais felizes. A busca de gratificações que nunca se saciam, como a acumulação de riquezas e as conquistas eróticas, costuma provocar uma sensação permanente de insaciabilidade, um vazio próprio de todos os vícios.

Outro aspecto igualmente polêmico relacionado com nossa biologia é a existência de indícios de que alguns nascem predispostos a um certo estado crônico de tristeza e inatividade, ao passo que outros nascem com muito mais energia e vigor para o trabalho, além de verem a vida de uma forma bem mais benevolente. **Crianças nascem com medos variados e de diferentes intensidades. Algumas têm muito medo de pessoas estranhas; as mais destemidas são mais ousadas e receptivas em relação às pessoas que se aproximam delas; as mais medrosas tendem à timidez e a se comportar de forma inibida diante de pessoas ou grupos desconhecidos — não é raro que esse tipo de comportamento as acompanhe ao longo de boa parte da vida adulta. As que não têm tanto medo tendem à extroversão e partem do princípio de que serão bem recebidas por seus**

colegas. **Aqui as "profecias" costumam se realizar, já que elas chegam alegres, sorridentes e, graças a isso, serão mesmo agradáveis aos olhos da grande maioria das pessoas que venham a conhecer.** Nossas propriedades inatas, mesmo aquelas geneticamente determinadas, não devem ser tratadas de forma fatalista, como algo definitivo. Acredito que elas determinam uma tendência; sugerem, mas não mandam. Pessoas mais conscientes de suas características poderão reforçar ou minimizar suas conseqüências. **Nesse ponto sempre me lembro do vigor contido na célebre frase inscrita em Delfos: "Conhece-te a ti mesmo".** Só poderão elaborar estratégias capazes de minimizar os desdobramentos negativos oriundos de grandes medos aqueles que sabem que os possuem. Desenvolverão ações para reverter os efeitos negativos sobre sua forma de ser, ou seja, poderão trabalhar contra a timidez e a introversão, contra a tendência a evitar situações competitivas e de confrontação agressiva, e também poderão ganhar meios de se defender da disposição para o desenvolvimento de fobias.

É interessante registrar que certos subprodutos de propriedades inatas negativas podem conduzir as pessoas a uma forma de ser muito apreciada por elas — e que as beneficie em diversos aspectos. Tudo parece ser uma faca de dois gumes. O medo pode levar alguém a ser mais reservado e introspectivo, menos competitivo e mais voltado para atividades que exigem empatia em vez de confronto. Isso pode conduzir a uma atividade profissional e a uma forma de viver extremamente agra-

dáveis e prazerosas. **Assim, a história de cada um sempre depende, ainda que em parte, de suas propriedades biológicas; elas são inúmeras e podem se combinar de infinitas maneiras, assim como acontece com as notas musicais.** Só isso já seria argumento suficiente para que entendêssemos como cada um de nós é único. Além do mais, às nossas propriedades inatas temos de agregar a forma como lidamos com elas — como as combinamos, se as aceitamos ou brigamos com elas. **Não espanta que a comparação entre os humanos costume gerar erros grosseiros. O pior mesmo é que vivemos em uma sociedade na qual tudo é objeto de comparação e hierarquização. Se existem o homem e a mulher, um dos dois tem de ser o superior e o outro, o inferior. Não fomos treinados para pensar de outra forma, segundo a qual as diferenças são apenas e simplesmente diferenças. Sendo mais claro, penso que existem diferenças específicas que devem ser hierarquizadas e outras que não deveriam ser tratadas dessa forma. Acho que devemos ser criteriosos quanto à avaliação moral das pessoas e distinguir muito bem as que também cuidam dos interesses alheios daquelas que só cuidam do seu interesse pessoal. Ainda que existam as disposições inatas, elas definem apenas tendências e não ordens; assim, precisamos tentar reverter a disposição egoísta, porque se trata de uma deficiência que poderá gerar infelicidade pessoal e social. Não se pode minimizar a responsabilidade das famílias, dos educadores e da sociedade sobre a forma-**

ção moral das pessoas. Não se pode usar a biologia como escudo para encobrir nossas incompetências.
A sociedade hierarquiza, não sem alguma razão, a beleza, a inteligência, a sociabilidade, a presença de alguns dotes especiais para as artes ou os esportes. Já apontei o caráter aristocrático embutido na excessiva importância atribuída a essas prendas mais raras em detrimento daquelas acessíveis a todos, como a felicidade amorosa, as boas maneiras, o usufruto dos prazeres eróticos e intelectuais etc. **É sempre muito importante compreender que as vantagens inatas podem se transformar em desvantagens ao longo da vida.** As moças muito belas podem se tornar um tanto preguiçosas, já que são muito favorecidas por seus admiradores ao longo dos anos da mocidade. Porém, a vida atual é feita para durar ao redor de 80 anos, muitos a mais do que aqueles que se podem alicerçar sobre a beleza jovial.

Pessoas mais inteligentes são, como regra, mais angustiadas e recheadas de contradições aflitivas. Atletas bem-sucedidos vivenciam o apogeu na juventude e não raramente se perdem — em drogas, mulheres, más companhias — mais facilmente que os menos dotados. O mesmo acontece com muitos artistas populares. **Os que não têm tanto sucesso se sentem frustrados e injustiçados. Muitos tentam reverter suas frustrações biológicas, como no caso de baixinhos que usam todos os seus dotes intelectuais com o objetivo de vencer na vida e contrabalançar suas mágoas.** Diversas pessoas mais feias e malsucedidas no jogo da se-

dução também tratam de se desenvolver intelectualmente para, por essa via, encontrar uma forma de destaque. **Ou seja, de forma direta ou indireta, quase todos nós construímos nossa história dando ênfase a nossas propriedades inatas.**

O mais relevante é o seguinte: precisamos ter docilidade e sabedoria para nos aceitar com todas as peculiaridades que nos são próprias. Não basta conhecer a nós mesmos; precisamos nos conciliar com as características que nos constituem e nos fazem um ser único. A revolta contra fatos irreversíveis é imaturidade emocional e autocondenação à infelicidade eterna. A aceitação de como somos nos permite elaborar os rumos que deveríamos seguir. Algumas de nossas peculiaridades físicas e mentais têm de ser aceitas e pronto. Outras podem ser reconhecidas como matéria-prima, como base para aprimoramento e construção de uma forma de ser a mais gratificante possível. **Por exemplo: preciso reconhecer minhas limitações psicomotoras, de modo que não poderei ser um cirurgião ou artista plástico. Por outro lado, reconheço em mim uma boa fluência verbal, de modo que poderei muito bem me dedicar ao ensino ou à política. Fujo daquilo para o qual não tenho aptidões e me concentro em meus pontos fortes, naquelas propriedades que eu não escolhi, mas que, presentes em mim, poderão gerar muitas alegrias e bons resultados.**

21
vinte e um

Os ambientes sociais nos quais vivemos em um estado de razoável concórdia ajudam muito para que possamos nos sentir bem. Infelizmente esses contextos são bem raros e quase sempre só acontecem em circunstâncias constituídas de forma artificial. É o que acontece, por exemplo, entre as pessoas que fazem um cruzeiro marítimo, todas bem acomodadas, com acesso às facilidades do barco, à comida e à bebida fartas. Estão lá a passeio, para descansar, socializar e se divertir. Numa situação assim as pessoas são mais simpáticas umas com as outras e são raros os momentos em que acontece algum tipo de explosão agressiva — quase sempre desencadeada pelo álcool ou por emoções relacionadas com o ciúme — ou grandes manifestações de hostilidade. Esses ambientes, caros e raros, imitam o que seria uma sociedade socialista baseada na fartura.

Estamos muito longe disso na "vida real", no cotidiano das grandes cidades, no universo altamente competitivo das corporações e mesmo nos ambientes de trabalho menores. **As comparações que costumamos fazer o tempo todo, por meio das quais tentamos saber se estamos mais bem ou menos bem colocados do que essa ou aquela pessoa, geram em nós — e nelas — hostili-**

dades agressivas derivadas da inveja. **Vivemos, pois, mergulhados num contexto social competitivo e invejoso cada vez mais dramático, uma vez que as desigualdades só têm aumentado.** É crescente o número **dos que estão excluídos dos benefícios derivados dos avanços tecnológicos, e acredito que isso estimula revoltas, ódios desregrados, busca de caminhos alternativos efetivamente mais duvidosos e procura de alívio para as dores da alma nas drogas ilícitas — tanto as estimulantes como as alienantes.**

O combate a tais males costuma ser efetuado por uma polícia mal preparada, mal remunerada e corrupta, de modo que a cumplicidade entre os transgressores e os "defensores da lei e da ordem" é um fato óbvio e inexorável. O que reina é o clima de insegurança e incerteza. Elites e governos corruptos não têm autoridade para coibir a violência que deriva daí. É assim que temos vivido. Nada disso estimula a formação moral das novas gerações, de modo que não temos como ser otimistas em relação ao futuro; nada nos faz supor que assistiremos a uma alteração das tendências atuais.

Crescemos e nos formamos governados pela crença de que nossa espécie está em permanente evolução, que o futuro será melhor que o presente, que o amanhã será mais próspero e gratificante que o ontem. Isso não vem se confirmando. Aliás, não poderia ser de outro modo, especialmente quando observamos nosso planeta, cujos recursos naturais não são ilimitados. Ou seja, em algum momento o "progresso" teria de ser interrompido. Isso acontecerá, se acontecer, na última hora. A verdade é que os interesses econômicos têm sido maiores e mais urgentes do que o bem-estar das pessoas — e muito maiores do que o bom senso. O interesse econômico é imediatista e seus defensores partem do princípio de que, lá na frente, alguém encontrará um jeito de recuperar a camada de ozônio, as florestas devastadas, os desequilíbrios climáticos etc.

O "reinado" da economia vem sacrificando o poder dos governos e os limites nacionais. O mundo globalizado é frouxo e os empregos que hoje estão aqui amanhã irão para outra parte. Os interesses das pessoas — e os interesses nacionais — não têm a menor relevância. O que efetivamente interessa é o lucro. Não há espaço para pensarmos em valores humanos, em alianças sólidas entre as pessoas, em elos fundados na lealdade. O efeito daninho sobre o caráter e sobre a precária evolução moral das pessoas está aí à vista de todos. Creio que é nessa área, a dos valores e a do estabelecimento de relacionamentos humanos íntimos e sólidos, que aconteceu o maior e mais dramático esvaziamento (de liquefação, como diz S. Bauman). Cresceu a incerteza e, com ela, o medo em relação ao futuro. Ampliou-se dramaticamente o número de deprimidos. O apego, por vezes dogmático, às religiões só poderia ter crescido, sinal inequívoco da falência da "obra do homem".

O que escrevi acerca de nossa circunstância socioeconômica é uma versão primária, superficial e incompleta da encrenca na qual estamos cada vez mais submersos.

Não há sinais de recuperação, de reversão desse processo que só se agravou nestas décadas de maior globalização, de piora das condições ambientais, de falência moral e de crescimento do fundamentalismo religioso — causa e conseqüência de guerras. **A pergunta que nos interessa aqui é a seguinte: como viver em paz e ter momentos de felicidade cercados por essa realidade? Como ser feliz vivendo em um mundo cada vez mais infeliz?**

É claro que a deterioração do contexto social — e isso não é saudosismo dos mais velhos — dificulta bastante o projeto de uma vida boa e digna. É cada vez mais difícil agir de forma moralmente correta sem pagar um alto preço por isso, principalmente nas atividades profissionais. Num contexto competitivo costumam vencer os piores, desde que sejam bajuladores, apropriem-se do trabalho dos colegas, saibam atropelar concorrentes e, não raramente, aceitem suborno e sejam capazes de corromper. **Enquanto o sucesso profissional depende da presença dessas "propriedades", a felicidade sentimental e o bem-estar íntimo ficam totalmente interditados para os que agem de forma assim desleal.**

Que fazer? Como educar nossas crianças? Prepará-las para o mundo real, desleal e corrupto, ou para uma prática digna e respeitosa dos compromissos assumidos com os outros? Minha posição pessoal é clara e cada vez mais radical: temos de ser plenamente conscientes da realidade em que vivemos e devemos transmitir toda a verdade para nossos dependentes. Acho fundamental sabermos de tudo, se possível nos mínimos detalhes. Com base nessa consciência plena precisamos decidir que concessões achamos aceitável fazer em relação aos valores ideais — que também deveriam ser muito bem conhecidos. Seria mais ou menos assim: **num extremo da corda está o mundo real; no outro, está o mundo ideal, aquele que gostaríamos de ter ao nosso redor. Temos de decidir, cada um a seu modo, em que ponto intermediário entre os dois extremos nos colocaremos,** que concessões faremos e quais não nos parecem aceitáveis. Ao nos posicionar, teremos de ser conscientes das conseqüências práticas de nossas ações. Não se trata de dar murros em ponta de faca, de brigar contra os fatos e não aceitá-los como são. **Trata-se de um posicionamento individual que, por si, é sempre um posicionamento social e político (o social corresponde à soma dos indivíduos). O posicionamento é político, mas desprovido de idéias faraônicas, grandiosas; com nosso exemplo influímos sobre algumas pessoas e damos nossa modesta contribuição para que o mundo caminhe na direção de nossas convicções — e dentro do que é real e possível.** Reflexões maiores e mais complexas do que estas acerca do tema só podem ser feitas por aqueles que estudam e se dedicam profissionalmente à política, atividade digníssima e cheia de problemas difíceis de ser compreendidos de fora.

Aqueles que optarem por uma vida pessoal mais digna do ponto de vista moral, privilegiando as relações humanas consistentes e os bons relacionamen-

tos amorosos, devem estar cientes de que suas condutas poderão lhes acarretar algumas dificuldades no plano profissional. Elas não devem chegar como se fossem surpresas, como inesperadas. Não devem prejudicar a auto-estima, pois a plena consciência dos fatos faz que tudo seja previsível e aceitável. É o preço que se paga por agir de acordo com a própria convicção em um mundo governado por regras que derivam dos interesses do dinheiro e da busca do sucesso a qualquer custo.

Os que optarem por uma vida prática mais compatível com o sucesso profissional a qualquer custo — sempre é possível, mas dificílimo, ter sucesso por meio de conduta digna — devem estar conscientes de que serão menos confiáveis e enfrentarão problemas nas relações íntimas. Serão desconfiados, e isso perturba bastante a capacidade de estabelecer ligações que dependem de estarem de "peito aberto". Desejo boa sorte àqueles que tentarem se dar bem nos dois setores agindo de uma forma no trabalho e de outra na vida íntima.

Penso que a plena consciência de nossa circunstância é sempre fonte de alguma tristeza. Como acontece com todas as dores, temos de perder o menor tempo possível com essa, já que o objetivo é retornarmos o mais depressa para a condição na qual estamos em paz. Contribuímos de forma modesta e consistente para que as sociedades se modifiquem enquanto tentamos viver nossa vida pessoal da forma que acreditamos e com a mínima influência de um contexto que reprovamos — quando é esse o caso. Aceitamos uma certa "contamina-

ção" do meio sobre nossos hábitos de vida e de consumo e não devemos nos recriminar por isso, já que somos todos, sempre, influenciados pelas circunstâncias (Ortega y Gasset). Afinal de contas, somos apenas simples seres humanos tentando não afundar nesse mar de lama.

22

vinte e dois

A questão da felicidade é, pois, muito complexa, qualquer que seja o ângulo pelo qual se pense em abordá-la. Dependemos de nossa disposição inata, do contexto socioeconômico e cultural no qual estamos inseridos e também, e muito, de quanto fomos capazes de evoluir emocionalmente. A palavra "evoluir", assim como "amadurecer", embute uma idéia de escalada, um avanço hierárquico do mais inadequado na direção do mais adequado. Esse trajeto pode ser pensado de várias formas, que vão desde as concepções religiosas da vida — nas quais os mais evoluídos são os que mais se aproximam dos valores pregados pelas divindades — até outras tidas e tratadas como científicas. Do ponto de vista da psicanálise freudiana, por exemplo, a maturidade corresponde aos benefícios que as pessoas obtêm ao resolver os conflitos eróticos infantis, especialmente os de natureza edipiana.

Vou fazer algumas considerações partindo da premissa inversa, ou seja, de que a maturidade emocional consistiria naquele conjunto de conquistas psíquicas que melhor nos qualificam para a máxima aproximação do estado de felicidade. Quais são elas? A primeira e mais fundamental é a capacidade de lidar bem com

contrariedades e frustrações. **Penso nessa propriedade como um divisor de águas: quem lida mal com frustrações perde muito tempo amargando cada uma delas — e elas são muitas! Cada dia perdido porque foi "estragado" por algum contratempo é uma possibilidade a menos para que se viva em paz por 24 horas e para que nelas possam acontecer alguns momentos felizes.**

É sempre bom reafirmar que todos detestamos as frustrações e contrariedades que nos assolam quase que regularmente. Todo mundo acha horrível sentir dor de dente; aqueles que têm medo de ir ao dentista e também os que não o têm. Agora, se aconteceu de estar sujeito à dor, é melhor aceitá-la com docilidade e, mais que depressa, tratar de resolvê-la. Todos detestamos trombar o carro que estamos dirigindo. O que distingue aquele que aceita melhor a contrariedade é a forma como vai lidar com a irritação e a revolta que se formará dentro de sua alma. Tentará buscar as melhores soluções práticas possíveis com o objetivo de amenizar o problema e depois tratará de se esvaziar daquelas sensações ruins e das más lembranças que provocam grande mal-estar. **Caso consiga voltar ao estado de alma próximo ao que estava antes do acidente em pouco tempo — digamos, algumas horas —, poderá dar continuidade ao que havia planejado para aquele dia. Os que ficam remoendo o acontecido, inconformados com o próprio erro ou com o fato de terem sido vítimas de tamanha desgraça, perderão o dia e muito provavelmente também a noite.**

Qualquer que seja a reação da pessoa, o carro já está batido, e o que poderia ser feito já foi feito. Vive melhor quem é mais resignado e dócil, quem é capaz de aceitar a vida como ela vai se apresentando. Somos cercados por acontecimentos sobre os quais não temos controle, cuja evolução não depende integralmente de nós e que podem sim interferir negativamente em nosso cotidiano. Temos de aceitar que muitas das questões essenciais da vida não são integralmente geridas por nós, que a cota de incerteza relativa a tudo que nos cerca e nos diz respeito é muito grande. A incerteza envolve os dois lados: podemos estar sujeitos a aborrecimentos que exigirão boa capacidade de elaboração para nos livrarmos logo deles; e também podemos ser surpreendidos a qualquer momento, por bonitos momentos felizes que só nos alcançarão se não estivermos "encalhados" nas revoltas relacionadas com as contrariedades anteriores.

Em síntese, aceitar a incerteza que nos cerca, compreender que ela pode nos favorecer ou prejudicar, absorver o mais rapidamente possível os acontecimentos adversos e manter uma disposição positiva em relação ao futuro — já que ele também pode nos reservar acontecimentos ótimos — é um indicador de maturidade emocional porque cria condições para sermos mais felizes.

A capacidade de aceitar bem frustrações e contrariedades não pode e não deve se transformar em uma nova forma de prazer, auto-afirmação ou alimento para a vaidade. Não se trata de ir atrás do sofrimento com o

objetivo de se testar e de se achar mais forte porque o tolera e se livra dele mais depressa. Não estou pensando também na aceitação resignada de frustrações que podem ser evitadas. Não penso, por exemplo, que uma pessoa casada com um parceiro grosseiro, sem consideração e violento precise tolerá-lo sem se revoltar só porque é "madura" e suporta bem as frustrações. Além do mais, não adianta apenas gritar ou brigar com o cônjuge e continuar a conviver com ele e com a situação. Não havendo sinais de mudança — o que, infelizmente, é a regra —, cabe terminar definitivamente com a relação. O mesmo raciocínio vale para as questões sociais: não devemos aceitar com docilidade as injustiças que poderiam ser evitadas, os governantes arbitrários, os corruptos etc. Nesse caso, a luta responsável contra as injustiças deve se dar pela via política, fazendo parte de grupos organizados ou simplesmente por meio do voto responsável.

A boa tolerância a frustrações é uma pré-condição para que nossa razão possa dominar e ser mais forte que os sentimentos e emoções. Se for a razão que domina, temos também um bom controle sobre nossa agressividade, ótimo indício de que outros sentimentos também estão sob controle. É bom não sermos escravizados pelo desejo sexual porque poderemos, caso venhamos a achar que é o caso, vincular sua expressão apenas no domínio das relações amorosas — apesar das eventuais tentações. É bom não sermos dominados pela preguiça, o que vale dizer que somos criaturas disciplinadas. Assim, teremos força para nos

dedicar aos projetos profissionais, às atividades esportivas e também àquelas relacionadas com os prazeres intelectuais — a preguiça não deveria nos impedir, por exemplo, de sair de casa para assistir ao filme que tanto nos recomendaram.

Generalizando ainda mais, podemos dizer que a maturidade emocional implica avanços psicológicos que nos fazem, dentro do possível, senhores de nós mesmos. Aqui a razão é soberana e se sobrepõe aos sentimentos e emoções, além de ter a característica da porosidade que faz que ela esteja em constante transformação, aprendendo com tudo que nos acontece. A observação cautelosa dos acontecimentos da vida nos ensina que muitos deles não dependem de nós e de nossa vontade. Nossa razão terá, pois, de se submeter com docilidade e resignação não às emoções, mas sim à condição de incerteza que nos caracteriza — e que deriva de limitações impostas a nós por força de uma insignificância cósmica. Quando estivermos submetidos a acontecimentos negativos, temos de tentar absorvê-los e superá-los da melhor forma e no menor tempo possível. O objetivo evidente é o de alargar o tempo da serenidade, condição favorável e essencial para que nossos momentos felizes possam acontecer em maior número e com maior diversidade.

vinte e três

O tema da evolução e maturidade moral é, a meu ver, dos mais palpitantes e polêmicos. As reflexões que farei aqui repetem em parte as que fiz no capítulo 3. São pensamentos derivados essencialmente da análise das relações íntimas entre pessoas e não se baseiam em premissas religiosas ou filosóficas; seus fundamentos são psicológicos. Para viver em paz a maior parte do tempo e usufruir o maior número possível de momentos de felicidade é essencial que o indivíduo consiga superar o egoísmo que lhe é característico. **Toda criança pequena recebe mais do que dá e tem de ser assim. Nascemos totalmente dependentes e nosso crescimento na direção da auto-suficiência é lento. Lá pelos 6 ou 7 anos de idade passamos a ter condições de contribuir de forma mais efetiva para o conforto do grupo social ao qual pertencemos.** Em áreas rurais as crianças dessa idade ajudam a família na roça e também nos cuidados com os animais. Podemos dizer que a partir dessa idade conseguem equilibrar a "contabilidade": dão e recebem mais ou menos na mesma medida. **Aqueles que conseguem aprender a se colocar no lugar dos outros podem começar a sentir algum prazer derivado de ser útil, de poder ajudar. Apesar disso, em ambientes**

sadios continuam a receber os cuidados e a usufruir os direitos próprios das crianças.

Aprender a renunciar aos prazeres imediatos, a lidar com contrariedades, frustrações e mesmo com obrigações faz parte do avanço emocional e moral e caracteriza a superação do egoísmo. É uma pena que um grande número de pessoas não consiga se dar bem nesse processo de evolução. Já registrei insistentemente que aqueles que se mantêm intolerantes às contrariedades da vida acabam perdendo muito tempo com os dissabores inevitáveis e permanecem imersos em ressentimento, ódios reprimidos, inconformismo e inveja. **Gastam um tempo enorme no domínio do sofrimento e das dores e têm grande dificuldade de retornar para o ponto de equilíbrio. Curvam-se na direção do sofrimento e por lá permanecem por um tempo longo e desnecessário. São pessoas infelizes.**

É muito importante ficar atento aos fatos, uma vez que as pessoas mais egoístas costumam dissimular sua condição e gostam de se mostrar socialmente como alegres, expansivas e felizes. É só farsa! **Quem lida mal com frustração é dependente: precisa receber o que lhe é essencial, se acovarda por ter medo de fracassos (sofrimento) — em particular os amorosos. Portanto, não pode ser feliz. Egoísmo e felicidade são, pois, condições incompatíveis.** Os egoístas não vivem em paz e seus momentos de felicidade são poucos. Dirigem-se mais para o mundo dos prazeres corpóreos e consumistas porque gostam de se exibir como vencedores, desenvolvendo "felicidades" aristocráticas por trás das quais escondem as frustrações sentimentais, intelectuais e, principalmente, a falta de coragem para enfrentar desafios novos e originais.

Do outro lado do pêndulo estão os generosos, a outra metade dos seres humanos. Eles são capazes de tolerar bem as dores e contrariedades da vida, mas são competentes para dar e incompetentes para receber. Sentem o ato de receber como humilhante e não percebem que ao dar demais a alguém estão também humilhando. Vivem mais próximos do estado de harmonia, pois superam rapidamente as dores e voltam para o bem-estar mais facilmente. Graças a suas propriedades, são ousados e competentes para o amor, assim como para as inovações e aventuras de caráter profissional. Têm tudo para ser pessoas felizes, mas nem sempre o são.

O que os impede? Em que obstáculo esbarram? No sentimento de culpa. O tema é complexo e tem me obrigado a sucessivas mudanças de ponto de vista. O sentimento de culpa é a tristeza que sentimos quando nos reconhecemos causadores de um dano indevido a outra pessoa. Sentir culpa não é o mesmo que ter culpa. Ou seja, posso me considerar causador de sofrimento a outra pessoa sem sê-lo. Posso me entristecer quando causei o dano e o fiz em defesa do meu direito, igual ao do outro — condição em que provocar o dano é devido, já que não tem cabimento renunciar em benefício do outro em vez de tentar desequilibrar

a balança a meu favor. Nesses casos estarei sentindo culpa sem ter tido culpa, o que mostra como é fácil haver erro no processo de avaliação moral das condições de disputa. Os exemplos relacionados com a vida cotidiana são inúmeros. Citarei apenas alguns. É legítimo uma pessoa casada abandonar seu cônjuge — que ainda a quer — porque se encantou por outra pessoa? É legítimo impor o sofrimento a ele (e eventualmente aos filhos) em nome da busca de uma maior realização pessoal? Penso que, se ambos os cônjuges estão em igualdade de condições — nenhum dos dois está doente ou particularmente limitado —, é legítimo cada um buscar a realização sentimental, mesmo que isso implique dor para o outro. Assim é a vida e o inverso não seria melhor: renunciar à própria felicidade em favor do outro não geraria frutos bons para ninguém.

É claro que nem todos concordarão com esse ponto de vista. O mesmo acontecerá em tantos outros exemplos: uma pessoa rica tem o direito de aparecer como tal aos olhos de parentes menos favorecidos, condição em que provocará a dolorosa sensação de inveja? Podemos conviver com nossa felicidade sentimental e material num mundo onde a maioria é miserável e frustrada do ponto de vista amoroso?

Devo sentir-me culpado por privilégios que tenho e que me foram dados sem merecimento, como é o caso de beleza, inteligência ou algum dote artístico especial? O que fazer com eles: usufruir deles e aprimorá-los ou

atenuar seu impacto para não provocar a inveja e não desfrutar de benefícios imerecidos? Nenhuma dessas questões tem resposta fácil e consensual — o que nos obriga a refletir de modo ainda mais acurado. Talvez uma saída passe pela introdução de um novo ingrediente em substituição à culpa: a responsabilidade. Quando eu era criança, usava-se muito a expressão francesa *noblesse oblige* — ser da nobreza implica ter obrigações especiais. Olhando desse ângulo, as pessoas bem-dotadas devem ao meio social em que vivem algum tipo de contrapartida. Até hoje acredito que é ilegítimo usufruir privilégios sem que isso implique também acréscimo de responsabilidade social. Não estou pensando em idéias megalômanas — do tipo que povoa a mente dos "salvadores da pátria", coisa de jovens idealistas e de alguns políticos menos maduros —, mas no fato de que as pessoas mais capacitadas têm de dedicar parte de seu tempo e energia ao bem comum. Seria injusto usar todo o privilégio apenas em causa própria.

Há poucos anos eu considerava o sentimento de culpa como um sinal indispensável e importante de evolução moral, já que nos imprime um limite interno. Os egoístas não sentem culpa e só se comportam dentro das normas sociais por medo de represálias ou por vergonha. Trata-se de freios um tanto frouxos, já que são ineficazes se não houver policiamento externo permanente. Os que sentem culpa agem de acordo com seus valores independentemente da presença de censores externos. A censura está introjetada, e continuo achando que se trata de um avanço em relação ao freio exter-no. A questão é que esse sistema costuma falhar e, como regra, em prejuízo da pessoa generosa, o que gera favore-cimentos indevidos aos que sabem "usar" o sentimento de culpa e que obtêm benesses extraídas por meio de chantagens sentimentais.

Em uma frase: o sentimento de culpa tende a ser exagerado. Como regra, afasta a pessoa do ponto de justiça, aquele dos direitos iguais. Estimulada pela vai-dade e pelo sentimento de culpa, a criatura mais gene-rosa tem grande dificuldade de dizer "não" mesmo quando essa é sua vontade. Não se vê em condições de magoar o outro nem mesmo quando está sendo ob-jeto de óbvio abuso. Dessa forma, o sentimento de cul-pa é um inimigo do pleno avanço moral, aquele que atingimos quando estamos perto do ponto de justiça, quando damos e recebemos na mesma medida.

Acredito cada vez mais firmemente que a razão bem constituída — típica dos que amadureceram emocio-nalmente — dá conta da avaliação do que deve ou não ser feito, de quais são nossos direitos e deveres. Assim, podemos dispensar o freio interno, sempre rígido e menos competente para avaliar cada nova situação e suas peculiaridades. A razão ativa e efetiva faz as ve-zes do juiz que avalia todos os elementos envolvidos em uma disputa e decide de forma mais equilibrada do que aquela que derivaria de uma norma rígida interna-lizada em fases anteriores da vida. Quem tem ego forte pode dispensar o superego! É provável que continuemos a cometer erros. Penso, porém, que a razão erra menos que o sentimento de culpa, já que este sempre falha em prejuízo de quem o possui e em benefício dos mais egoístas.

24 vinte e quatro

A felicidade depende essencialmente da nossa capacidade de viver em paz pelo maior tempo possível. A homeostase, já sabemos, é prejudicada por toda sorte de perturbações externas. **O fato é que também somos acometidos por um importante conjunto de pensamentos capazes de desorganizar de forma radical nossa serenidade. Desde os 6 ou 7 anos de idade estamos sujeitos, em decorrência da sofisticação de nossa razão e das constatações que derivam daí, a fortes sensações de inquietação e ansiedade. Isso porque nos tornamos competentes para fazer determinadas perguntas que não temos capacidade de responder.**

Não se trata de uma condição íntima confortável, uma vez que seremos obrigados a conviver com dúvidas. Não falo de dúvidas acerca de questões irrelevantes, mas sim daquelas que nos são essenciais. Temos, pois, dentro de nós, uma bomba-relógio que, se não for desativada, provocará sofrimento vitalício. Ao fazermos as perguntas essenciais relacionadas com o que vem depois da morte, de onde viemos, qual o sentido da vida, por quanto tempo — e em que condições físicas e mentais — viveremos, entre outras, estamos criando um universo de dúvidas terríveis para as quais não temos respostas.

As respostas de que dispomos são aquelas prontas, produzidas por nossos ancestrais, que sempre sugeriam que nossa passagem pela Terra corresponderia à pior parte de uma trajetória gloriosa e eterna. **O pensamento religioso pressupõe a existência de um Criador, uma entidade em tudo superior a nós que dispõe das respostas que estamos procurando. As revelações fornecidas por Ele são incompletas e estão presentes nos livros sagrados, escritos de forma tipicamente humana e que não são plenamente convincentes para muitas pessoas. Um certo número delas se apega de forma fanática a essas descrições e explicações, assim como aos rituais que elas sugerem.** Sentem-se apaziguadas, mas pagam um preço alto por isso. Sim, porque têm de fechar os olhos para tudo que estiver fora das normas e dogmas de suas convicções. Já mencionei a falta de porosidade no processo de pensar que isso determina, o empobrecimento e a perda de liberdade intelectual que derivam dessa forma de aquietar as dúvidas e, em especial, a ansiedade de caráter metafísico.

Outro grupo de pessoas reage de forma radicalmente oposta diante do fato de não se sentir plenamente convencido pelas explicações ditas religiosas. Nega a existência de Deus e assume que somos criaturas derivadas da casual evolução das espécies. Os dados disponíveis nos levam, de fato, a crer que a "evolução" existiu. Mas não podemos ter certeza de sua casualidade, que, segundo creio, não passa de uma hipótese. Um processo é chamado de casual porque desconhecemos a eventual causa para que ele tenha acontecido, o que não implica forçosamente sua inexistência. Não deixa de ser curioso constatar que os ateus radicais são tão dogmáticos quanto aqueles a quem se opõem. **Talvez não esteja claro para essas pessoas, mas o fato é que elas se colocam como a obra máxima e mais perfeita de tal evolução casual. Como Deus não existe, nós, os humanos, somos o que há de melhor! Resistem à idéia de que possa haver vida mais inteligente do que a nossa em alguma outra galáxia, onde outra evolução "casual" possa ter sido mais bem-sucedida do que aquela que aconteceu por aqui — condição na qual não é impossível que esses seres mais evoluídos tenham influenciado nossa evolução. Do meu ponto de vista, sobram arrogância e vaidade na seqüência de raciocínios nos quais os ateus se vêem, além de tudo, como seres superiores, mais sofisticados e mais inteligentes do que os crentes porque "suportam" melhor a dolorosa verdade acerca de nossa condição.**

Penso da seguinte forma: não sabemos responder às questões metafísicas. Temos mesmo é de aprender a conviver com as dúvidas e a incerteza que caracterizam nossa condição. Não podemos — nem devemos — nos aconchegar nas convicções religiosas ou na certeza materialista. Precisamos viver o desamparo que a dúvida e a incerteza nos provocam. A dor de não saber. Temos de ter consciência de que a ansiedade e o desgosto não podem ser atenuados por falsas convicções. Não é fácil, mas penso ser possível aceitar de verdade a nossa realidade metafísica. Acredito que possamos aprender a viver e a conviver alegremente com a plena consciência de nossa condição, o que levou tantos dos melhores espíritos do passado ao desespero e à idéia de que a vida não valia a pena.

Meu otimismo se fundamenta no seguinte: o fato de não sabermos nada sobre nossa origem nem termos cérebro competente para responder às questões fundamentais é a base, o alicerce sobre o qual temos de nos construir. Não se trata de querer decifrar esses enigmas, e sim de tomá-los como ponto de partida para uma aventura incrível e fascinante que dependerá de sermos capazes de usar nossa criatividade e inteligência para construir um projeto de vida individual. A inexistência de um projeto pré-moldado abre as portas para a liberdade e isso é o que mais me encanta e fascina. Tal liberdade cria uma condição na qual respondemos apenas aos nossos valores e princípios. E mais: podemos mudá-los ao longo da vida.

Visto desse ângulo, nosso ponto de partida — o de estarmos fundados na ignorância e na incerteza — não poderia ser melhor. Tudo pode nos acontecer. É fato que poderemos padecer de muitas dores e sofrimentos. Porém, todas as boas coisas também podem nos chegar a qualquer momento. A vida fica cheia de emoções e a monotonia inexiste. Creio que, se soubéssemos tudo acerca do futuro, o ato de viver seria muito pouco atraente.

Assim, penso que está tudo certo. Se há um criador, ele foi sábio em nos deixar na ignorância, já que ela é

a fonte de nossa criatividade. Se formos mesmo o fruto casual da evolução, cabe a nós continuar a atuar em direções construtivas para nossa espécie e também para o planeta que habitamos. Além de estarem mais próximas de nossa real condição psicológica, tais reflexões podem diminuir bastante nosso sofrimento. O desamparo metafísico deve ser atenuado por meio de nossas atividades e ocupações e também das boas relações afetivas que sejamos capazes de estabelecer. Ou seja, talvez o melhor seja mesmo arregaçar as mangas e nos colocar em movimento em vez de ficar sofrendo e indo atrás de respostas que não encontraremos.

25
vinte e cinco

Ao olharmos para o céu numa noite estrelada, sentados sozinhos na areia de uma praia, teremos problemas para responder à pergunta que se impõe: afinal de contas, qual é o valor de cada um de nós? Nós, que tanto nos preocupamos em nos comparar com outros, que nos deprimimos quando alguém é mais do que nós em qualquer aspecto irrelevante que faz parte de nosso cotidiano, como é que nos sentimos diante do Universo? Qual a verdadeira dimensão do nosso valor e, diante desse referencial maior, em que nos distinguimos dos outros seres?

Aqui cabe perfeitamente a afirmação de que "somos todos iguais diante de Deus". Ou seja, por referência a um valor absoluto, ao infinito que nos cerca, valemos todos a mesma coisa: quase zero! Valemos tanto quanto um grão de areia. Todas as diferenças que tanto nos empenhamos em cultivar são praticamente insignificantes. Nessas condições, será que valem a pena os sacrifícios que fazemos com o objetivo de nos diferenciar, já que tudo isso é, em essência, desprezível? Nenhuma propriedade que conseguíssemos adquirir implicaria o fim de nossa insignificância cósmica.

Acredito que essas observações possam provocar uma reação inicial de caráter um tanto depressivo. Pode parecer que tudo fica sem sentido, que não vale a pena viver e muito menos fazer qualquer tipo de sacrifício ou esforço para alcançar alguma coisa. Fica difícil, desse ponto de vista, responder à pergunta "para quê?" Uma resposta clara a tal pergunta é essencial para que a maioria de nós se ponha em movimento e se disponha a algum tipo de renúncia ou se empenhe com vigor em alguma direção. **Não é à toa que tentamos, na maior parte do tempo, desviar a atenção dessas características maiores de nossa condição, constatadas com enorme perplexidade e desgosto por nossa razão sofisticada.**

O que fazemos? Fixamo-nos de forma rígida e um tanto radical no outro sistema de referências, o que é relativo: preocupamo-nos mesmo é com o fato de sermos mais altos que nossos amigos, mais bonitos, mais inteligentes, mais ricos, mais tudo, enfim, que nos diferencie da média de nossos semelhantes. **Se somos todos iguais perante Deus, somos todos diferentes em comparação com os outros. O mais importante é que, talvez em decorrência da insignificância cósmica, empenhamo-nos vigorosamente na tarefa de diferenciarmo-nos de nossos semelhantes. É como se estivéssemos feridos na vaidade e precisássemos da afirmação permanente de que temos algum valor, por mais relativo que seja.**

A busca desse valor relativo, processo que reforça dramaticamente nossa já poderosa vaidade, determina uma diferenciação essencialmente quantitativa. Isso quer dizer que, para podermos ter elementos de comparação, temos de ser mais do que a média naqueles valores que todos consideram os mais legítimos. **Temos de ser mais do que a média segundo os critérios da própria média das pessoas! O importante é perceber como isso se opõe a qualquer tipo de originalidade na conduta, sendo um forte desestímulo à criatividade humana. Assim, tudo leva a crer que quase todo mundo luta muito para ter cada vez mais coisas — exatamente aquelas que são valorizadas pela maioria.**

Qualquer tipo de conduta original poderá, com facilidade, despertar reações críticas por parte de nossos pares, uma vez que eles não dispõem de elementos para classificá-la ou saber quanto vale. Nesses casos, a primeira reação costuma ser negativa. A verdade é que qualquer pessoa que se disponha a fazer algo que a diferencie da média pode estar sujeita a rejeições e a um tratamento desqualificado. Como isso ofende a vaidade, remete o ousado autor da inovação ainda mais fortemente na direção da insignificância cósmica. Quando não nos sentimos apaziguados pelo aconchego de nossos pares, vemo-nos sozinhos, desamparados e sem nenhum valor. Não é fácil.

As pessoas que buscam um tipo de vida um pouco mais diferenciado e sofisticado, que não pretendem apenas viver repetindo o padrão vigente (e são essas as pessoas que, em certos casos, determinam as mudanças de rota da sociedade), precisam se aproximar das grandes verdades, aquelas do desamparo e da insignificância cósmica. Elas não podem se deprimir por muito tempo, uma vez que esse estado é paralisante. Aceitar

os fundamentos sobre os quais se alicerça a condição terrena — ao menos como nós somos capazes de perceber — é condição essencial para a construção de um estilo de vida próprio, mais livre, independente (quanto possível) da opinião da média das pessoas. Aceitar que temos de nos construir sobre essa base liberta-nos, ao menos em parte, dos processos comparativos e da busca de conquistas que não sabemos se queremos ou se as perseguimos porque "todo mundo está atrás delas".

Apesar de todas as dificuldades, acredito que é possível aprender a conviver com as verdades cósmicas. Insisto na tese de que tudo isso, se é que podemos supor algum propósito, está a serviço de nossa liberdade pessoal. Se não sabemos de onde viemos, para onde vamos, o que fazemos aqui — além de estarmos na condição de parcela ínfima e irrelevante em relação ao Universo —, só nos resta a tarefa de forjar um destino para nós. **Temos de construir um destino para cada um de nós e, também, de contribuir para a construção de uma ordem social que nos represente.**

É preciso redobrar a cautela com relação à vaidade, ingrediente importantíssimo de nosso poderoso e intrometido instinto sexual que também serve para atenuar a dor que sentimos em decorrência da efetiva insignificância cósmica. **A vaidade não é força que nos liberta. Ela nos faz dependentes da avaliação de nossos pares. Não é por aí que poderemos utilizar a inteligência a nosso favor, transformar o desconforto derivado da insignificância em liberdade. O caminho da liberdade se-**

ria mais ou menos assim: já que sou muito menos sig-
nificante e importante do que pensava e do que pareço
ao me comparar com "os outros", então sou livre para
buscar um modo de ser e de viver coerente e compatível com o que minha mente vislumbra como sendo o
melhor para mim.
Se formos capazes de aceitar tais propriedades metafísicas, é claro que a humildade (e não a vaidade) se
impõe e se sobrepõe a qualquer manifestação de arrogância e altivez. Aceitaremos com docilidade nossa condição de definitiva ignorância a respeito dessas questões
essenciais. Se for o caso, aceitaremos, sempre com reser-
vas, algum tipo de reflexão religiosa que busque sentido
e dê significado à vida. Pouco importa, pois em ambos os
casos a postura é parecida e fundada na humildade. A
verdade mesmo só nos será revelada oportunamente.

O MEDO DA FELICIDADE

1
um

Escrevo sobre o tema há mais de vinte e cinco anos e ainda me surpreendo com o fato de sentirmos medo da felicidade. **O termo correto a ser usado deveria ser "fobia de felicidade". Fobias são medos irracionais, ou seja, de situações e animais que não implicam riscos;** é o caso de fobia de baratas, de andar em elevadores e aviões etc. Eu já teria sido levado mais a sério a respeito desse tema fundamental se tivesse inventado um nome, de preferência pomposo e em língua estrangeira — ou morta —, posto que isso determinaria um empenho maior por parte das pessoas mais eruditas em dar atenção a esse medo grave, muito nocivo à vida íntima e também a aspectos práticos do cotidiano.

Não é fácil ser feliz porque isso implica inúmeras conquistas objetivas e subjetivas. E cada vez que deparamos com algum avanço, com um novo momento de felicidade, entramos em pânico. Sentimo-nos ameaçados, inseguros, como se houvesse uma espada sobre nossa cabeça, pronta para nos destruir de uma hora para a outra.

Se o momento de felicidade acontece graças à realização de algum sonho material, parece que a ameaça de destruição é imediata. Ao sairmos da agência com o carro novo com que tanto sonhamos, temos a im-

pressão de que, em instantes, seremos vítimas de um acidente. Na casa nova, achamos que vamos ser assaltados e que levarão tudo que nos é precioso. Se formos passar a lua-de-mel em algum lugar lindo que desejamos muito conhecer, sentiremos que o avião está prestes a cair. E assim por diante. **Se o momento feliz deriva de uma grande realização profissional, temos a sensação de que atrairá a hostilidade invejosa dos concorrentes e que eles conseguirão nos excluir daquela posição privilegiada recém-conquistada.** Se a felicidade deriva de um encontro amoroso muito bem-sucedido, parece que a pessoa amada desistirá do relacionamento e, por algum motivo, se afastará; por força dessa expectativa, vivemos em pânico e necessitamos de seguidas reafirmações de que ainda somos amados e que a trágica ruptura ainda não aconteceu. A mulher grávida tem pavor de pensar que seu filho possa nascer com algum tipo de deficiência. Depois que ele nasce sem problema algum, ela passa a temer que engasgue durante a noite e morra; não resistirá à necessidade de visitá-lo várias vezes apenas para se certificar de que ainda respira.

Convivemos com expressões do tipo: "Isto está bom demais!" ou "Estou morrendo de felicidade!" Elas refletem a idéia consolidada em nossa mente de que há uma cota possível e tolerável de felicidade acima da qual nossas chances de morte aumentariam muito. Tudo nos faz crer que o álcool atenua esse medo que sentimos diante de cada vitória. Assim, a primeira idéia que nos vem à mente nessas horas é a de brindarmos à nossa saúde e felicidade. Depois de algumas doses, sentimo-nos felizes e destemidos. Fazemos planos para ampliar ainda mais as conquistas. Não teremos pudor algum de dizer aos que estiverem por perto o que já temos e quanto ainda seremos capazes de avançar. No dia seguinte, longe do álcool, sentimo-nos em pânico e mais ameaçados do que nunca.

Detectei claramente a presença dessas forças internas que operam na direção oposta à felicidade no fim dos anos 1970, em função de minhas primeiras reflexões acerca do fenômeno amoroso. **Eu ficava surpreso com o fato de os encontros amorosos de boa qualidade provocarem uma sensação de medo muito forte, medo esse que acabava sendo responsável pela ruptura dos vínculos em quase todos os casos que tive oportunidade de acompanhar. Encontros de média ou mesmo de má qualidade não determinavam — e até hoje não determinam — muito medo porque não provocavam tanta felicidade, já que as diferenças geram tensões e brigas. Esses últimos costumavam "evoluir" na direção do estabelecimento de vínculos estáveis, matrimoniais e reprodutivos.** Anos antes, alguns autores norte-americanos falavam em medo do sucesso, relacionado com o medo das mulheres de progredir na carreira profissional porque tinham a sensação — não de todo falsa — de que teriam grandes dificuldades no plano afetivo, já que tal diferenciação seria capaz de assustar a maioria dos pretendentes.

Freud, com sua acuidade e intuição genial, detectou, por volta de 1920, a presença de forças destrutivas geradas em nós, por nós e capazes de agir contra nós. O medo da felicidade provoca ações autodestrutivas: se não suportamos mais que uma certa cota de felicidade, ao ultrapassarmos esse limite nós mesmos nos antecipamos e destruímos parte do que conseguimos conquistar. O medo de uma perda muito maior — a morte — leva-nos a autodestruições limitadas que nos remetem para dentro de nossos limites de competência. Freud considerou tal mecanismo instintivo, o que equivale a dizer que se trata de processo universal, atemporal e insolúvel. Ou seja, estaríamos todos condenados a uma briga eterna entre nossas forças construtivas (de vida) e as destrutivas (de morte). Penso que os fatos mostram que vivemos de fato esse tipo de conflito, que até agora parece mesmo insolúvel. Teríamos de levar em conta que os processos autodestrutivos aparecem com maior intensidade quando estamos diante de conquistas importantes e recentes, aspecto que não se afigurava muito relevante para ele. Não é impossível que o carro novo venha a ser danificado por alguma "imprudência" de seu proprietário, ou que a casa seja assaltada como conseqüência de algum descuido previsível, ou que a ruptura amorosa não possa ser evitada, para voltar aos exemplos já citados.

Considero difícil aceitar a hipótese instintiva, mais por razões teóricas do que pelo que se observa na prática, onde os fatos são soberanos. **A idéia de que estamos**

todos buscando o estado inanimado — a verdadeira homeostase — que caracteriza a morte física efetiva parece-me totalmente inviável até como metáfora. A busca de algo que desconhecemos e que jamais vivenciamos é impossível; essa hipótese parece estar mais adequada à conformação teórica que estava sendo montada do que aos fatos. Acho que buscamos esse estado de serenidade onde tudo estaria parado, mas não o relaciono com a morte e sim com o que vivenciamos no início, durante nossa formação ao longo dos meses da vida intra-uterina. Não o relaciono com o fim e sim com o princípio, de modo que expressões como "instinto de vida" e "instinto de morte", simbolizadas por deuses gregos, não estão de acordo com meu modo de pensar.

Quando pretendemos manter uma postura científica diante de questões assim complexas e de constatação tão recente, não podemos pensar nelas de forma atemporal nem irreversível. Terei oportunidade, ao longo das páginas que se seguem, de detalhar minhas hipóteses a respeito da origem do medo da felicidade. Penso que elas nos permitem trilhar caminhos para que, um dia, possamos superá-lo. Caso isso venha a acontecer, deixaremos de ser criaturas divididas, perturbadas, como somos hoje, por forças construtivas e destrutivas. Poderíamos construir novos paradigmas para a existência, que poderia se transformar em algo bem mais harmonioso. Não se trata de pensar, insisto mais uma vez, de forma ingênua e otimista, que a ciência sempre nos livrará — e em tempo

hábil — de todos os contratempos. Não se trata também do oposto, ou seja, de achar que aquilo que não fomos capazes de resolver é obrigatoriamente instintivo e que temos de aceitar que nunca poderá se modificar. **De todo modo, o fato é que temos hoje dentro de nós mecanismos autodestrutivos. Instintivos ou não, eles se ativam de forma particularmente intensa quando estamos vivendo momentos de felicidade.** Batemos o carro novo contra o muro não só porque não estamos habituados a ele, mas porque ele está nos provocando uma alegria "insuportável". Depois de batido e consertado, ele não é mais tão novo nem tão perturbador; aí então conseguimos dirigi-lo com mais serenidade.

2
dois

Uma importante manifestação do medo da felicidade encontra-se no pensamento supersticioso, fortemente relacionado com os momentos especiais de caráter positivo. Um exemplo clássico é o da mulher que engravida e tende a evitar que a notícia se espalhe de forma indiscriminada antes da estabilização da gestação. Teme a inveja das outras mulheres e pensa que assim se protege. A idéia do "olho gordo" existe desde o Egito antigo — há cerca de cinco mil anos! Estava relacionado com os riscos que a grávida (e seu feto) corria ao ser olhada por uma mulher infértil, na época o maior dos infortúnios, já que os filhos eram a grande riqueza das pessoas. O olho gordo, invejoso, poderia perturbar a gestação ou então produzir uma criança com algum tipo de deficiência.

O pensamento supersticioso é governado pela idéia de que a destrutividade virá de fora, desencadeada pelas "vibrações" negativas produzidas principalmente pela inveja das pessoas que são parte do convívio íntimo, percebidas como mais ameaçadoras do que as mais distantes ou mesmo anônimas. A mesma sensação de medo pode advir da idéia de que a destrutividade virá de fora, mas será gerada por alguma divindade, alguma força maligna superior a nós cuja ira poderá nos alcançar.

O fato é que o medo que sentimos das pessoas que nos invejam e também da destrutividade de divindades ameaçadoras cresce muito quando estamos vivendo momentos de felicidade. Temos a sensação, incorreta, de que é mais fácil viver em paz quando estamos menos contentes e principalmente quando algum desconforto nos perturba, ao mesmo tempo que garante certa estabilidade. Penso que é esse o mecanismo das promessas, das negociações que fazemos com os deuses.

Prometemos nos privar de alguma coisa da qual gostamos muito em troca de garantias de que não passaremos por certos sofrimentos — doença em pessoas queridas ou em nós mesmos, desastres financeiros, frustrações sentimentais etc.

Tais negociações mostram que, de fato, acreditamos na existência de forças do bem e do mal gravitando ao nosso redor, podendo nos agraciar ou nos perturbar a qualquer momento. **Fazemos acertos unilaterais — ou seja, sem consultar as divindades — e renunciamos preventivamente a uma parte de nossos prazeres em favor da garantia de que não seremos vítimas de certas dores.** Temos de "agradar os santos" da mesma forma que as pessoas que bebem uma dose de cachaça no balcão de um bar: antes de ingerir sua cota derramam uma pequena parte da bebida para "matar a sede" da divindade. Se for fato que o álcool nos deixará mais alegres, parece que temos de pagar — antecipadamente — o dízimo!

Raciocínio similar vale para os amuletos, objetos aos quais atribuímos poderes especiais de proteção. O escapulário que não sai do pescoço do crente, a nota de 1 dólar que não deixa a carteira de tantas pessoas, a pedra que se destaca na mesa de trabalho de muitos, a roupa que foi usada quando o time de futebol do torcedor fanático venceu um campeonato importante (e que agora terá de estar presente em todos os outros jogos decisivos), o conforto que tantos sentem quando têm na mão determinado objeto que parece dar segurança em horas decisivas — intervenções cirúrgicas, decolagens e pousos de aeronaves, exames para o ingresso em universidades etc. — são alguns dos amuletos mais freqüentemente usados por quase todos nós.

Não deixa de ser curioso o fato de que nós mesmos atribuímos um valor especial a um objeto que se transforma, por isso mesmo, em amuleto; depois passamos a nos sentir mais seguros graças à sua presença. Fenômeno parecido acontece com algumas ações: sentimo-nos menos ameaçados ao não passar por baixo de uma escada, evitando cruzar com gatos pretos às sextas-feiras — especialmente as que caiam no dia 13 de qualquer mês, mas principalmente de agosto — e ao fazer determinadas orações antes das horas tidas como mais arriscadas. Algumas pessoas têm forte predisposição a rituais similares a esses, de modo que eles tendem a se multiplicar e a envolver inúmeras situações. São criaturas obsessivas, que podem perder — parcial ou completamente — o controle sobre esse processo por meio do qual buscam garantias para o que, de fato, é incerto. Sentem forte ansiedade quando não conseguem cumprir todos os rituais que, se crescerem muito, tomarão grande parte do seu dia, transformando-se em doença por força de algum grau de incapacitação.

Há quem considere as orações, próprias de todas as religiões, rituais supersticiosos — e um tanto obsessivos — similares aos que descrevi anteriormente. Isso porque as pessoas que crêem sentem-se mais amparadas e protegidas contra as dores e incertezas da vida. Não penso que seja uma boa idéia avançarmos nessa direção e adentrarmos em seara tão delicada, pessoal e inofensiva (a não ser quando ela adquire um caráter efetivamente obsessivo e compulsivo).

O fato relevante é que todos nós vivemos cercados por processos psíquicos irracionais típicos do pensamento supersticioso. Buscamos, por meio deles, nos proteger da destrutividade vinda de fora que parece crescer quando estamos vivendo momentos particularmente felizes. Voltarei a abordar a questão da inveja de forma mais detalhada logo mais. Gostaria apenas de enfatizar agora minha forte convicção de que a principal fonte de destrutividade que nos ameaça está dentro de nós.

Os mecanismos autodestrutivos são poderosos e perturbam de forma radical nossas chances de felicidade, já bastante limitadas em decorrência da quantidade e dimensão dos problemas que precisamos superar para chegar perto do estado de serenidade associado a um bom número de momentos de grande satisfação. **Estamos, pois, lidando com um obstáculo enorme e inesperado. Penso que o mais importante a ser registrado**

de imediato é que os processos autodestrutivos estão interferindo em nós o tempo todo e não só quando, nos momentos de maior felicidade, notamos sua presença. Assim, eles podem contribuir, mais do que supomos, para o agravamento das dificuldades enfrentadas para atingir a felicidade. Eles tendem a se manifestar diante de qualquer pequena conquista, depois de qualquer pequeno avanço. É preciso pensar imediatamente na possibilidade de estarmos sendo objeto desse tipo de mecanismo sempre que estivermos vivenciando qualquer tipo de sabotagem: hipocondria, tendência a gastar mais dinheiro do que se pode, irritabilidade indevida nas relações íntimas etc.

três

O medo da felicidade tem se manifestado como fenômeno universal — ou quase — e de forma persistente ao longo dos séculos. Já mencionei que Freud pensava na autodestrutividade como desvinculada dos momentos de felicidade e atribuía sua existência a um fenômeno instintivo justamente por força de sua onipresença. **Se pretendermos considerar a questão por outro ângulo, não instintivo, teremos de relacionar o processo autodestrutivo (especialmente quando vinculado aos momentos de felicidade) a algum fenômeno intenso (capaz de nos "pegar" profundamente) e universal (que deverá ser parte da história de vida de todos nós). Caso contrário, não apareceria com essa constância.**

A autodestrutividade acoplada aos momentos felizes (quando ela se manifesta mais vivamente) terá de ser parte de um **fenômeno quase instintivo, expressão que uso parafraseando Platão em *O banquete*. Em uma das passagens desse texto, ele diz que o amor não é um deus (instinto) nem um mortal (próprio de nossa história individual), mas um semideus (quase um instinto). Acredito que a autodestrutividade está localizada na mesma zona intermediária. De alguma forma tem relações fortíssimas e diretas com o amor, posto que nada**

provoca medo mais intenso do que a felicidade derivada do encontro amoroso pleno e intensíssimo típico das
paixões (sempre relacionada com encaixes fortíssimos
entre pessoas muito afins); além disso, penso que o
amor e o medo da felicidade têm como explicação o
mesmo episódio vivenciado por todos nós: a forma como fomos gestados e como nascemos.

É surpreendente a pouca importância dada ao tema
do nascimento. Entre as raras exceções estão Otto Rank,
discípulo íntimo de Freud e autor de *O trauma do nascimento*, livro prefaciado por Freud — que, no entanto,
parece não tê-lo lido com muito cuidado —, e alguns
ginecologistas preocupados com as dores do parto do
ponto de vista da criança, assunto, hoje em dia, novamente negligenciado. Já tratei do tema no item 8 da
parte que se refere à felicidade. **Penso no nascimento
como o nosso *big bang*, como o início de tudo. Durante
os meses intra-uterinos passamos da condição de não
existir para a de existir. Existimos e passamos a ser
dotados de um sistema nervoso muito sofisticado,
complexo e que entra em atividade em algum momento — certamente antes do nascimento. Passamos a ter
um *hardware*, ainda que desprovido de *software*.**

O *software* humano foi autofabricado e sua sofisticação,
até o ponto em que nos encontramos, tomou-nos mais de
cem mil anos. Os grandes avanços aconteceram nos últimos dez mil anos, graças à competência que tivemos de
construir uma linguagem e transmiti-la de uma geração
para a outra. Isso se deu devido à estabilização da vida em

sociedade. Talvez tenha se beneficiado do aumento da vida média dos homens, mais enraizados graças aos avanços da agricultura e da pecuária. Nômades, vivendo poucos anos e em pequenos bandos, dificilmente conseguiriam transferir suas conquistas de uma geração para a outra, condição necessária para a acumulação de conhecimentos que alcançou o ponto crítico que hoje vivemos. Cada feto é similar ao homem de antigamente e, com o nascimento, é exposto à massa enorme de informações de que hoje dispomos. O objetivo é que cada criança adquira a parte essencial do saber que nos custou tanto a acumular. **A história de cada um de nós repete, assim, a história da nossa espécie — só que em outra velocidade. Ou, como se costuma dizer de forma mais erudita, a ontogênese repete a filogênese.** Suponho que possa ocorrer algo similar ao que vou descrever mais uma vez. O feto encontra-se no útero cercado de líquido que o protege, alimenta-se automaticamente pelo cordão umbilical, vive sob temperatura constante e elimina excrementos de forma regular, excrementos esses que são purificados automaticamente e sem desgaste para ele. **Ou seja, o feto vive uma condição de harmonia paradisíaca — ou o mais próximo possível disso. Esse é o primeiro registro do cérebro, a primeira informação colecionada que inaugura o processo de formação do software. Qual o próximo registro? A expulsão do paraíso (Gênesis), a ruptura do ser duplo que caracterizava a aliança com a mãe (o fim do ser andrógino citado em *O banquete*, de Platão).**

Penso assim: o nascimento é nossa primeira experiência traumática. Hoje sabemos que tais experiências provocam "marcas" neurológicas, se não definitivas, difíceis de serem resolvidas. A experiência traumática e suas conseqüências tardias definem um reflexo condicionado universal, posto que todos passamos por ela. É um reflexo condicionado porque deriva de uma experiência; assim, não é incondicionado ou instintivo. Porém, por hora é inevitável e geral. Na prática, funciona como se fosse um fenômeno instintivo. É quase um instinto.

Ao imaginarmos um feto "gestado" em uma incubadora — não estamos muito longe disso — que pudesse ser retirado de lá na hora ideal, de forma delicada e indolor, poderíamos imaginar um início de vida diferente do que temos presenciado ao longo de milênios. O fato é que nascemos depois de nove meses de gestação por falta de espaço para continuarmos a crescer; ainda estamos incrivelmente mais imaturos do que outros mamíferos, que nascem em condições de andar. Talvez esse novo ser humano, nascido mais tardiamente e com todas as cautelas para não provocar traumas, não venha a ter a "ferida" neurológica própria do trauma do nascimento. Estaria livre de suas conseqüências. Seria tão diferente que me parece impossível e desnecessário pensarmos com clareza sobre isso por ora: é trabalho para as gerações futuras. Penso apenas que não convém tratar do fenômeno como instintivo e definitivo, pois alterações derivadas de avanços científicos

e tecnológicos podem determinar mudanças que jamais devem ser subestimadas.

Dois grandes desdobramentos derivam do momento inaugural de transição para a nossa história de vida extra-uterina: o primeiro, já amplamente comentado, tem que ver com o fato de não conseguirmos nos sentir completos e plenamente serenos quando estamos sozinhos. O outro é que, sempre que estamos nos aproximando de um estado de harmonia e serenidade, passamos a temer um novo *big bang*, agora relacionado com a morte.

Convém registrar mais uma vez que o primeiro *big bang*, aquele que nos traumatizou, está relacionado com o nascimento e não com a morte. A morte corresponde a uma segunda ruptura: se a primeira corresponde à transição do não existir para o existir — ao menos em termos materiais —, a segunda corresponde ao temor da passagem do existir para o não existir. Não é impossível que boa parte do medo que sentimos da morte esteja também relacionado com o pavor que sentimos ao nascer — pavor visível na expressão do rosto do neonato e que não costuma estar presente no rosto do morto.

Pelo encontro amoroso refazemos uma aliança harmônica similar àquela que o feto tinha com a mãe. É a volta ao útero, ao paraíso. O que acontece? Ressurge imediatamente o pavor da expulsão, da ruptura, da destruição. Daí o medo e as inseguranças que acompanham as histórias de paixão justamente quando os riscos objetivos de perda do amado são mínimos (ao menos no que diz respeito ao seu eventual interesse por outras pessoas). **O temor é generalizado e não sabemos exatamente de onde virá a trágica notícia que causará a ruptura. Amamos e tememos. Estamos aconchegados um no outro (como no útero) esperando a queda da espada que está sobre nossa cabeça, fato que já aconteceu uma vez.** Não sabemos de onde virá a tragédia: da ira dos deuses, da inveja dos humanos, de situações que nós mesmos não saberemos resolver. Mas uma coisa é fato: "sabemos" que a espada cairá! Não nos arriscamos e não prosseguimos para ver o que acontecerá desta vez. Exatamente como todos os fóbicos, temos certeza de que a dramática experiência já vivenciada se repetirá de forma idêntica. **O que aconteceu para aqueles poucos que, mesmo morrendo de medo, ousaram ficar juntos e desafiar "os deuses e os humanos"? Nada de grave. Ao contrário, foram se acostumando à nova situação, foram superando paulatinamente o medo da felicidade sentimental e viveram em concórdia para sempre.**

A única forma conhecida de conseguir vencer os medos condicionados em decorrência de experiências traumáticas é enfrentá-los. O enfrentamento deverá acontecer depois que os mecanismos envolvidos no processo tenham sido explorados e entendidos da forma mais completa possível. Ainda assim o medo estará presente durante a experimentação e só se atenuará ao longo do tempo. É, pois, possível vencer o medo da felicidade relacionado com o encontro amoroso de ótima qualidade; e este talvez seja o mais intenso de todos os medos relacionados com a felicidade, já que repete quase de forma literal nossa experiência traumática. O triste é constatar que o número de pessoas que ousam desafiá-lo ainda é mínimo. Talvez estas palavras sejam estimulantes para aqueles que estão vivendo — ou vão viver — esse dilema.

Uma peculiaridade interessante do medo da felicidade é que o processo se generaliza para outras áreas da vida que não têm nada que ver com o amor nem com o trauma original. Ou seja, a realização de qualquer sonho que tenhamos provoca o mesmo medo. As conquistas profissionais e o sucesso material provocam imediatamente o medo de que eles não sejam duráveis. Assustamo-nos até com o bom resultado de uma dieta para emagrecer. A pessoa que alcança seu objetivo pensa assim: "Será que o sucesso não reflete a existência de uma doença grave?" E aí ela trata de comer bastante, destruindo tudo que conquistou. **Aqui cabe mais uma observação importante: os bons resultados conseguidos com pouco sacrifício parecem nos assustar ainda mais!**

O medo da felicidade sentimental se generaliza e se transforma em medo do sucesso. Tememos a morte como punição para o fato de termos atingido nossas metas. Nada é mais absurdo, posto que os bons resultados deveriam trazer recompensas, não punições. A confusão que fazemos é terrível e dramática, de modo

que tumultuamos e complicamos muito a vida. O objetivo é sempre o mesmo: nos afastar da harmonia, do bem-estar e dos momentos muito felizes. Fazemos isso com o objetivo de nos manter vivos. **É como se estivéssemos condenados a viver infelizes e a única alternativa fosse a morte.**

O medo da felicidade é similar a outras situações que dependem de experiências traumáticas. Entre o momento do trauma e as primeiras manifestações dos "sintomas" fóbicos ou depressivos pode decorrer um tempo longo, de anos. Observei, em 1970, em Londres, o tratamento de várias pessoas adultas com pavor de descer as escadas que levam ao metrô. Na infância, durante a Segunda Guerra, quando tocavam as sirenes avisando da chegada de aviões alemães prontos para bombardear a cidade, era nos subterrâneos que elas se refugiavam. Entre a experiência traumática e o surgimento do pavor fóbico passaram-se mais de vinte e cinco anos. Isso nos leva a pensar na necessidade da existência de fatores desencadeantes do processo. É como se a experiência traumática ficasse "encapsulada" em algum lugar do cérebro e a casca se rompesse por força de alguma variável que surgisse na vida da pessoa. Uma crise existencial, problemas sentimentais, uma depressão derivada de múltiplas causas podem, entre outras razões, fazer o papel de agente desencadeador. Uma vez manifestados de forma explícita, tais quadros fóbicos são difíceis de ser tratados e podem, em certas condições, deixar resíduos permanentes.

No caso do medo da felicidade, essas observações estão de acordo com o que costumamos observar na prática: é extremamente incomum qualquer manifestação do fenômeno durante a infância. As crianças parecem capazes de satisfações e prazeres sem fim. **Não dão sinais de medo mesmo quando passeiam com os pais pelos mais belos parques e praias do mundo, quando ganham inúmeros e seguidos presentes, comem todas as guloseimas etc. Recebem tudo de que gostam em grande quantidade e depois dormem tranqüilamente.** Não dão sinais de terem ficado com qualquer tipo de medo. No dia seguinte estão prontas para usufruir mais coisas. Não fazem contas para saber se fizeram alguma coisa para merecer as recompensas.

A capacidade de usufruir as delícias da vida de forma ilimitada parece sofrer uma brusca interrupção por volta da puberdade e início da adolescência. Trata-se de um momento particularmente dramático para a maioria de nós. A chegada das fortes manifestações da sexualidade adulta, as alterações da forma do corpo, os discursos que os jovens ouvem a respeito do aumento das responsabilidades necessárias para uma prática sexual adequada, tudo enfim leva para um estágio diferente da vida. **É como se tivesse acabado a fase das brincadeiras — de bonecas e de jogos sem responsabilidades — e agora tudo tivesse se tornado sério. As atitudes passam a ter desdobramentos que podem trazer graves e prolongadas conseqüências.** Os exemplos mais claros disso são as gestações indesejadas e também as perigosas incursões pelo mundo das drogas.

Ainda não consigo entender todas as sutilezas que envolvem a passagem para a vida adulta séria e responsável. Tal passagem está ligada ao agravamento da vaidade? O prazer erótico de se destacar ganha força e pode se expandir rapidamente para outras áreas da vida íntima, para além das questões relacionadas com a aparência física? As dores relacionadas com a própria vaidade física, agora gerando fortes sensações de inferioridade e de humilhação por causa das comparações com jovens mais belos e mais competentes para os jogos eróticos, ganham intensidade brutal e dão gravidade a tudo? Serão elas as primeiras grandes dores da alma? Até que ponto as dores estão ligadas às preocupações de ordem moral relacionadas com a consciência de que certas pessoas têm mais dotes valorizados socialmente do que outras? **O que é fato indiscutível é que as dores da alma se tornam muito mais intensas, especialmente as ligadas à rejeição.** Os adolescentes se destacam da família e tentam ganhar identidade e individualidade. Como não estão fortes para isso, passam a fazer parte de grupos — tribos — e dependem muito da aprovação de seus pares. O sucesso ou fracasso aos olhos deles passa a ser vivenciado como coisa séria. Isso tem que ver com a capacidade de ser uma pessoa popular, ter sucesso com o sexo oposto, competência esportiva, entre outras atividades agora tratadas como "importantes". Ir bem nessas áreas é algo que honra o jovem.

Se a honra inicialmente depende apenas da aceitação social, mais tarde — e nem para todas as pessoas — ela passa a depender da coerência entre a ação da pessoa e um conjunto de conceitos por ela internalizados. Esses conceitos não costumam ser muito originais. São crenças, idéias prontas incorporadas sem crítica ou reflexão profunda. **Muitas dessas crenças têm cunho religioso e transmitem justamente concepções de que sempre deve haver equilíbrio entre esforço e recompensas, de que determinadas ações devem ser evitadas porque podem prejudicar terceiros, de que deve haver um certo comedimento no exercício e usufruto dos prazeres materiais,** entre outras recomendações.

Nos que cresceram preocupados em respeitar os direitos dos outros — talvez cerca de 50% de nós — começam a surgir sentimentos de tristeza relacionados com os próprios privilégios: por que sou mais belo, mais bem-posto socialmente e mais inteligente do que a média? Como os outros se sentem diante de mim? Será que desperto a inveja deles e, com isso, os faço sofrer? Como minimizar esses danos a não ser limitando meus prazeres e não utilizando meus privilégios? É de tais perguntas e de suas respostas duvidosas que costumam aparecer os sentimentos de culpa indevidos que atormentam a tantos de nós. Sentimo-nos tristes por danos que não causamos e nos restringimos no exercício dos prazeres.

A vida passa a ser levada a sério, a vaidade se exacerba, provocando um aumento simultâneo do individualismo e da dependência social, a introjeção das reflexões religiosas tradicionais sob a forma de crenças ou idéias um tanto irrefletidas etc. Assim, os sentimentos

de culpa dos mais favorecidos são uma mistura mais que suficiente para desequilibrar e desestruturar o modo como se constituía a subjetividade infantil. A vida passa a ser observada por um lado trágico desconhecido da maioria das crianças. A morte ganha feições de realidade e apavora muito mais intensamente.

O mundo dos sonhos e da ficção vai sendo substituído cada vez mais pela realidade. O mundo psíquico infantil costuma confundir — como os gregos dos tempos anteriores ao século V a.c., que coabitavam com deuses e semideuses — príncipes com personagens reais; as crianças podem sonhar livremente com as próprias glórias e feitos extraordinários e tratá-los como se fossem reais. As bonecas podem ser filhas reais e os "artilheiros" dos jogos de botão poderão vir a ser grandes jogadores no futuro. **De repente, as glórias têm de ser reais e os jovens vão percebendo como é difícil atingi-las. Alguns conseguem mais sucesso do que outros, e a humilhação e a desonra passam a representar a dor adulta por excelência, a dor dos perdedores —** que constituem a maioria.

Convivendo com a realidade, os adolescentes deparam com pessoas supersticiosas, com outras que morrem de medo de represálias e de ser vítimas de tragédias pelo fato de já estarem contaminadas com a sensação de que a felicidade "atrai coisa ruim". Percebem claramente a inveja dos perdedores e passam a temê-la. Notam que as crenças religiosas são levadas a sério e que os prazeres devem ser vividos em doses comedidas.

Concluem, por fim, que a maioria das pessoas vive a fase adulta dentro de certos limites de prazer e satisfação, como se houvesse um teto — de altura variável — que precisasse ser respeitado. Penso que num contexto desses se rompe com facilidade a cápsula que envolve a experiência traumática original. Dessa forma, cada adolescente é despertado, a seu modo, para o fato de que existem limites para a felicidade e que tais limites têm de ser respeitados sob pena de severas represálias. Vai se familiarizando com os prazeres mais valorizados pela sociedade em que vive.

Aprende qual o peso da satisfação sentimental, dos prazeres eróticos, do exibicionismo físico, da estabilidade material e também dos relacionados com a exibição dos excessos, principalmente os materiais — relativos ao consumo de supérfluos.

Aprendem que existem drogas capazes de provocar sensações adoráveis, mas que podem causar malefícios em longo prazo. (Nem todos respondem da mesma forma à questão do "longo prazo", como logo veremos). Aprendem que determinados subgrupos valorizam muito a competência intelectual, o saber e o sucesso profissional relacionado mais com o conhecimento do que com o dinheiro. Percebem que as pessoas também podem se destacar por aí, de modo que, quando bem-dotadas, buscarão a notoriedade por esse meio.

Vão, aos poucos e com muita dor, se familiarizando com o mundo dos adultos, suas propriedades, sua variedade, sua graça, seus perigos. Trata-se de uma tran-

sição dramática capaz de desorganizar totalmente a subjetividade de muitos dos jovens mais inteligentes. Nos anos da vida adulta nem sempre nos lembramos com clareza do sofrimento que tivemos de enfrentar nessa época. As dores são suficientemente grandes para que muitos desenvolvam um certo medo do sofrimento e passem a evitá-lo ao máximo. Se a renúncia parcial dos prazeres é a fórmula adotada por tantas pessoas — o que está em concordância com o discurso religioso e moral mais comum —, então essa rota será seguida por boa parte dos novos adultos. Eles perceberão também que nem todos os jovens seguem esse caminho, de modo que vai se definindo a existência de dois modos distintos de se postar diante da vida. É claro que as diferenças e peculiaridades individuais são infinitas, mas parece que a humanidade pode mesmo ser subdividida em duas partes.

cinco

A primeira metade das pessoas corresponde às que tenho chamado de generosas. São as que dão mais que recebem, se colocam no lugar dos outros e imaginam suas dores e sofrimentos, se preocupam tanto em não causar danos a eles a ponto de abrir mão de seus efetivos direitos em favor deles. São menos agressivas e detestam brigas. Em função disso, fazem concessões indevidas — e contra a própria vontade — apenas para fugir dos combates. Toleram bem frustrações e se sentem envaidecidas e superiores por serem competentes para agir assim. Em verdade, não há nada de justo nesse tipo de comportamento, principalmente se levarmos em conta que os generosos fazem quase todas as concessões indevidas a pessoas abusadas e oportunistas.

A forma generosa de ser reforça, pois, o padrão de comportamento oposto, que é o egoísta. Os generosos gostam — e necessitam — da existência deste porque é "sobre ele" que exercem seu "poder" e superioridade. Trata-se de uma forma sutil e sofisticada de exercício do "poder", pois ele se manifesta sob o manto da submissão e da doação; é que isso torna o outro dependente e fraco. O mesmo acontece no masoquismo sexual, no qual o que apanha é o que detém o "poder":

o que se submete se sente forte porque tem o outro na mão pelo fato de satisfazer seus caprichos e vontades. A complexidade dessa "trama diabólica" que envolve os generosos e sua relação com os egoístas já foi exaustivamente estudada por mim em outros livros.

O que nos interessa agora é refletir um pouco mais sobre como os generosos lidam com o medo da felicidade. **A verdade é que, apesar de todo o abuso consentido de que são "vítimas", eles têm de si um juízo bem melhor do que têm os egoístas. Preferem ser como são, até porque recebem o reforço do pensamento moral/religioso oficial. Sentem-se independentes do ponto de vista prático, apesar da dependência emocional óbvia em relação a várias pessoas e a um eventual parceiro sentimental. Gostam de ser vistos como pessoas boas, honestas, preocupadas com os outros. E efetivamente são assim.** Sentem inveja esporádica dos egoístas, mais extrovertidos e competentes para os "prazeres da carne" — ao menos é isso que demonstram. Apesar disso, como regra, se sentem bem como são e não querem mudar. **Gostariam de conseguir dizer "não" mais vezes, sabem que isso os faz fracos em certas horas, mas estão conciliados com essa limitação.**

Do ponto de vista sentimental, julgam-se plenamente competentes para o amor e se consideram prontos para amar intensamente. Enfrentam dificuldades porque, como regra, escolhem parceiros do tipo egoísta, que são exigentes e implicantes; é claro que as relações amorosas vividas com parceiros com essas características são entremeadas de conflitos e discórdias totalmente desnecessários. Toleram isso em nome do amor e consideram que a relação só não está melhor por causa dos problemas dos parceiros. **Aliás, estão sempre otimistas e esperançosos, achando que se forem amantes dedicados e leais vão, finalmente, ajudá-los a se sentir mais seguros e mais competentes para o amor pleno. Vivem e se alimentam dessa ilusão por anos, amando sem ser amados, dando cada vez mais de si e criando todas as condições para a perpetuação — e mesmo para a piora — do egoísmo daqueles a quem se dedicam. Agem dessa forma, numa primeira fase, por ingenuidade; depois, tornam-se conscientes e o fazem como uma forma de retaliação, de vingança pelas agressões que sofrem e das quais não sabem se defender.**

No fim das contas, os generosos têm uma auto-estima razoável e são mais competentes para as coisas do amor. Só não sentem medo exagerado da felicidade sentimental porque ela é "convenientemente" perturbada, com regularidade, pelos parceiros egoístas. Vivem uma condição íntima bastante razoável, são otimistas principalmente porque se reconhecem em evolução. São disciplinados e conseguem perseguir seus objetivos com firmeza; não desistem deles facilmente — apenas porque esbarram em dificuldades ou mesmo reveses — porque lidam bem com frustrações e contrariedades.

Como não têm muito do que se queixar a respeito de sua intimidade ou do amor (cujas dificuldades são atribuídas aos parceiros), sentem-se razoavelmente feli-

zes consigo mesmos. A cota de felicidade a que se dão o direito costuma estar praticamente preenchida com isso, de modo que tendem a tumultuar bastante as questões práticas, como os prazeres derivados do usufruto dos bens materiais e também aqueles ligados à vida erótica. Os generosos são os que sempre acham que não precisam de mais nada, renunciando aos privilégios materiais mesmo quando têm acesso fácil a eles.

Não estou, em hipótese alguma, defendendo os excessos de consumismo e do exibicionismo ligado aos adornos e a todas as posses materiais. É pública minha predileção pelas felicidades democráticas, as que são acessíveis a todos — o que não é e jamais será o caso da abundância de bens materiais. O que estou tentando colocar é que **os generosos não conseguem possuir determinadas coisas porque parece que isso estaria estourando sua cota, estaria acima de seu teto, de seu direito de ser feliz.** Não se trata, por exemplo, de um adolescente preferir ter um carro mais simples — mesmo podendo ter um mais caro — porque não quer se diferenciar muito de seus pares. Ele renuncia ao carro melhor porque não consegue ficar em paz e sereno dentro dele.

No exemplo acima, o rapaz sentir-se-ia ameaçado pela violência, temeria desastres e desgraças de todo o tipo, pensaria que a inveja poderia prejudicar seu namoro ou mesmo seus estudos. Isso é completamente diferente de fazer uma reflexão sobre o assunto e concluir que o melhor para si seria ter o carro mais simples. A interdição emocional para o usufruto de certos prazeres determina a sensação de frustração, e aí acaba surgindo a inveja em relação aos egoístas, sempre prontos a usufruir tudo que lhes provoque o prazer de se destacar.

A complexidade de situações desse tipo é óbvia, já que vivemos em uma sociedade dividida no que diz respeito aos valores materiais: por um lado, valoriza a discrição e o comedimento como virtudes que estão em concordância com o pensamento religioso; por outro lado, estimula loucamente o consumismo e o exibicionismo material, o que faz andar com velocidade crescente a máquina produtiva e econômica que manda no mundo — e, por meio da propaganda, em cada pessoa.

Os generosos sentem vergonha de consumir porque acham que se trata de um comportamento menor, mesquinho; sentem também culpa porque imaginam que provocam sofrimento — inveja — nas pessoas que não podem se exibir da mesma forma. **Sentem culpa e medo ao usufruir coisas às quais têm direito, especialmente as que são visíveis aos outros. Acham que agir dessa forma provoca uma sensação de vulnerabilidade, de estarem sob a ameaça dos humanos e dos deuses. Sentem medo da felicidade, dos momentos de felicidade que o acesso a certos luxos supérfluos pode lhes trazer. Sentem medo e também vontade!**

Talvez um exemplo esclareça melhor. Pensemos numa pessoa que pode viajar na classe executiva em um vôo internacional longo, mas que o faz no desconforto da classe econômica. Ao mesmo tempo que não se per-

mite o privilégio, é claro que tem vontade de se esticar melhor para dormir, ter um banheiro com menos fila, ser servida de forma mais delicada e individualizada. Se for levada a viajar no assento privilegiado — por motivo de viagem a trabalho com o pagamento feito por terceiros, por força de vantagens oferecidas pelas companhias aéreas aos viajantes freqüentes e fiéis etc. —, sentir-se-á muito vaidosa, ótima por estar ali, mas também com certa vergonha perante os que viajam na classe econômica (o que estariam pensando eles a respeito dos privilegiados?). Não é impossível que venha a dormir muito mal e ter sonhos recheados dos piores pensamentos. É o momento feliz e o medo da felicidade combinados.

No caso de os pesadelos terem sido muito assustadores, o mais provável é que volte à classe econômica, local menos confortável fisicamente, porém mais confortável do ponto de vista emocional. Sentirá que é lá o seu lugar e talvez invente teorias interessantes e convincentes para justificar o rebaixamento material. **Eu não teria nada contra tais teorias, desde que elas fossem elaboradas por pessoas com competência emocional para viver aquilo a que estão renunciando. Caso contrário, estamos diante das tradicionais racionalizações: tentativa de encontrar explicações "lógicas" sofisticadas com o objetivo de esconder a verdadeira motivação emocional que, no caso, seria o medo da felicidade.**

Uma solução muito engenhosa e nada incomum para dilemas desse tipo é a seguinte: o generoso estabelece uma forte aliança sentimental com um parceiro

Flávio Gikovate

egoísta — condição já fortemente estimulada pelos diversos mecanismos mencionados em outros tópicos — e, "para agradá-lo", trata de levar um estilo de vida material ao gosto do parceiro, sempre bem mais exigente e que não tem problemas em querer o melhor para si. Ao mudar para uma casa grande, diria que não precisa daquilo tudo, mas que o cônjuge faz questão de morar assim. Num só golpe agrada o amado, fica bem com os deuses e os humanos, alivia boa parte da culpa e ainda por cima mora na bela mansão. Safados esses generosos!

seis

De acordo com a classificação esquemática que costumo fazer para fins práticos, a segunda metade dos seres humanos é composta de egoístas. Considero provável que o equilíbrio esteja se desfazendo na direção do crescente número destes últimos. Os egoístas são os que toleram mal frustrações e contrariedades porque, de nascença, são os mais irritadiços e impacientes; e também porque puderam permanecer nesse estágio inicial de comportamento em virtude de terem encontrado um ambiente familiar onde isso é aceitável — o que, na prática, ocorre quando um dos pais é do tipo egoísta. São mais agressivos porque não se preocupam com o fato de magoar os outros. O processo de colocar-se no lugar das outras pessoas pode determinar sofrimento, de modo que esse mecanismo essencial para a empatia se interrompe precocemente. Como conseqüência, vêem o mundo apenas do próprio ângulo e lutam para obter o máximo de benefícios sem a menor preocupação em retribuir.

Sabem que são fracos por não tolerar contrariedades, o que os leva a desistir de empreitadas difíceis que podem implicar risco de fracassos. Sabem que o fato de não sofrerem com as dores alheias — o que vale dizer não sentirem culpa — deixa-os em condição

de vantagem para obter benefícios indevidos, pois não se incomodam com o fato de prejudicar os outros a seu favor. Sabem que os generosos são pouco competentes para dizer "não" mesmo quando querem fazê-lo; portanto, é fácil abusar deles, posto que os egoístas não têm pudor algum em usar o expediente duvidoso da chantagem sentimental. A regra é que se acomodem nessas facilidades que são reforçadas — infelizmente e indevidamente — pelos mais generosos.

Tornam-se cada vez mais preguiçosos e dependentes. O medo do fracasso, a competência agressiva e a falta de sentimentos de culpa configuram um modo de ser que "prefere" a obtenção de benefícios sem risco e sem esforço. Na prática, obtêm os benefícios, mas não sentem o reforço da auto-estima, uma vez que esta não deriva da esperteza e sim da efetiva competência. É mais ou menos assim: dinheiro recebido como herança (ou ganho por meios duvidosos) é só dinheiro; dinheiro ganho por esforço próprio e de forma digna é dinheiro mais auto-estima.

O fato é que os egoístas se alimentam dos generosos. Sentem mais inveja dos generosos do que estes sentem deles. Sentem inveja da competência para lidar com frustrações, da coragem para enfrentar situações de risco — inclusive e principalmente a coragem para enfrentar os riscos de sofrimento sentimental, condição para que alguém possa se envolver e ficar na mão do amado. Invejam a serenidade dos generosos e não invejam a falta de coragem para dizer "não" ou a falta de atitudes

mais agressivas em defesa dos próprios interesses. Invejam a competência e habilidade com que lidam com situações de conflito, condição cada vez mais importante para o crescimento profissional.

Faz-se muita confusão na hora de tentar entender o ser que estou descrevendo. Os estudiosos dos distúrbios da personalidade consideram a existência de um narcisismo "normal" (este mais usual), que só passa a ser tratado como desvio quando manifestação de um egoísmo mais virulento, que pode chegar, no limite, aos comportamentos chamados de anti-sociais. Os psicanalistas usam o termo "narcisismo" com muitos significados e pensam que essas pessoas têm múltiplas motivações instintivas ou inconscientes. **Pessoalmente, penso que os narcisistas (egoístas) são plenamente conscientes de sua condição de fraqueza e inferioridade. Podem ser hábeis dissimuladores e se mostrar socialmente extrovertidos, alegres e com um juízo até exaltado acerca de si mesmos. Mas é tudo farsa. Sabem muito bem que são um blefe.** A regra é que não reconheçam em si forças para tentar se modificar. Gastam toda a energia disponível nesse empenho de sofisticar a aparência — falsa — de vencedores felizes.

No íntimo, são criaturas frustradas. Têm medo do amor. Têm medo de ousar. Adoram se exibir e se destacar e, como regra, são muito bem cuidados fisicamente. Buscam o destaque segundo as normas do grupo social a que pertencem e nisso são muito convencionais. Vão querer possuir todos os símbolos explícitos de sucesso, de modo que almejam o acesso a todos os sinais de ri-

queza — belas roupas, carros, viagens que estejam na moda, casas suntuosas e tudo mais. Serão magros, extrovertidos, risonhos e sempre dispostos a uma conversa mais para superficial, na qual não perderão a oportunidade de se declarar criaturas felizes, descrever seus últimos feitos e explicar como seus bens vêm aumentando.

Serão pródigos em narrar suas fantásticas aventuras "amorosas" e sexuais. Os generosos ouvem todas essas conquistas e se perguntam: eles não têm medo da inveja que provocam? Como é que conseguem usufruir tantas coisas materiais e sexuais com tal facilidade? Acontece que, intimamente, os egoístas se consideram perdedores. Sabem que são covardes para as dores da vida, o que talvez os ajude a não ter problemas em provocar a inveja dos outros. No caso das conquistas eróticas, não têm escrúpulos em magoar suas "vítimas" porque não sentem culpa pelos danos causados.

Não têm medo da inveja que provocam porque parece que se sentem protegidos pela infelicidade íntima: já que não podem ter o mais importante, que é a paz de espírito e uma boa auto-estima, sentem-se mais à vontade para chamar a atenção pela posse dos bens materiais visíveis. Não se sentem ameaçados pela inveja dos outros porque não se consideram merecedores dela!

Além do mais, nem sempre foram eles os que ganharam o dinheiro que está a serviço do exibicionismo — e esse dinheiro nem sempre se originou do trabalho.

Pode parecer que os egoístas sentem menos medo da felicidade, uma vez que, por não sentirem culpa, não sofrem com a possibilidade de magoar terceiros com seus privilégios. É verdade. Usufruem melhor de muitos dos benefícios a que têm acesso. Os generosos sofreram, durante os anos da puberdade e adolescência, a forte influência do pensamento moral vigente, de modo que seus sentimentos de culpa tendem a ser maiores do que os devidos. Já vimos como isso reforça e ajuda a romper a cápsula em que se encontra a experiência traumática durante os anos da infância. No caso dos egoístas, o que faz romper a cápsula é o próprio medo dos sofrimentos, sendo fato que, na vida adulta, as dores tendem a ser muito maiores. **Assim, se os generosos têm nos sentimentos de culpa um enorme reforço do medo da felicidade, os egoístas passam a temer ainda mais as dores psíquicas relacionadas com os crescentes riscos de decepções e fracassos que a vida adulta nos impõe.**

É surpreendente perceber que os generosos olham para tudo isso de forma completamente diferente e se surpreendem com a facilidade com que os egoístas se deliciam com privilégios que a eles parecem totalmente interditados. Morrem de inveja da capacidade dos egoístas de usufruir, sem culpa, de tudo que pode provocar a dor da humilhação nos observadores, matriz da reação invejosa. Os generosos acabam ficando numa condição complicada porque, por força das dificuldades que têm de se deleitar com as "delícias" materiais explícitas e os prazeres eróticos que podem magoar parceiros eventuais, acabam por supervalorizar os prazeres derivados do usufruto dos bens materiais e também do sexo casual.

Tornamo-nos obstinados quando encontramos em nós um obstáculo que não entendemos direito e que nos impede de aproveitar os benefícios ao nosso alcance. Ficamos mais obstinados ainda ao perceber que outras pessoas conseguem com facilidade o que para nós é tão difícil e que, por já termos experimentado, sabemos que pode trazer extrema satisfação. **Os egoístas são fascinados pelos bens materiais porque é por meio deles que se destacam e escondem suas incompetências e frustrações íntimas; os generosos se fascinam pelas mesmas coisas porque encontram dentro de si um obstáculo, uma dificuldade grande de se apropriar dos benefícios materiais aos quais têm acesso.**

O que resta disso é óbvio: todo mundo corre atrás do sucesso material! Uns o fazem para esconder fraquezas; outros, para ver se conseguem vencer a fraqueza íntima de não ser capazes de usufruir daquilo que lhe é devido. A conclusão pessimista se impõe, já que não acredito que nosso planeta tenha condições de suportar todo o desgaste imposto por essa ânsia de consumo.

Se os generosos estivessem mais conciliados com sua condição e não tão limitados por sentimentos de culpa, e se os egoístas tratassem de resolver suas fraquezas aprendendo a tolerar melhor as contrariedades, poderíamos viver num mundo mais justo e menos focado no materialismo. Creio que esta é a única forma de pensar, com realismo, a respeito de um futuro positivo para a humanidade. De certa forma, prego mesmo é uma revolução individual, íntima. Se tal postura vier

a se alastrar e alcançar um bom número de pessoas, elas tenderão a influenciar a sociedade. A revolução individual está voltada para a busca da felicidade real, não dos prêmios de consolação.

É evidente que sentir inveja é desagradável e corresponde à sensação de ser atacado. Sentimo-nos agredidos pelo fato de o outro ter ou ser algo que não temos ou somos. **O que está relacionado com o SER incomoda mais do que o que está ligado ao TER, uma vez que é mais difícil, senão impossível, vir a ser do que vir a ter.** Beleza, inteligência, maturidade emocional, certas aptidões artísticas ou esportivas provocam mais inveja do que o sucesso material, de modo que os egoístas, que se ressentem muito de não serem, não se sentem tão ameaçados pela inveja que provocam. Sentir inveja é sentir-se humilhado, diminuído, por baixo, nas comparações que não paramos de fazer. Deveríamos levar mais a sério esse aspecto, posto que nós, seres humanos únicos, não deveríamos nos comparar. Estaremos sempre incorrendo em grave erro lógico ao compararmos qualidades diferentes. Quando os homens se comparam com as mulheres — e vice-versa —, a situação piora ainda mais. Muitos dos erros do feminismo, ao menos em sua primeira fase, estiveram baseados no desejo de igualar criaturas tão distintas. Igualdade de direitos e responsabilidades é uma coisa, hoje em dia, óbvia. Agora, daí para a idéia do unissex em todos os aspectos é um passo absurdo que subestima as diferenças biológicas visíveis a olho nu, privilegiando a cultura de uma forma desmedida, considerando-a como a responsável maior pelo modo como cada sexo se comporta.

Essas considerações são curiosas, especialmente porque entram em choque com outras concepções, defendidas pelas mesmas pessoas, que privilegiam a biologia em prejuízo da importância da influência dos valores sociais. Certos aspectos de nosso comportamento estariam a serviço da perpetuação da espécie — pura biologia —, e outros dependem só da educação que tivemos — pura cultura. A verdade é que não existe nem uma coisa nem outra. A biologia está sempre presente e, em nossa espécie, não se manifesta sob a forma de ordens definitivas, uma vez que temos um cérebro ativo e crítico que pode interromper todos os processos, até os mais instintivos. **Penso assim: a biologia define tendências (o mesmo que dizem da astrologia!), ao passo que o resultado final dependerá da cultura e da forma de pensar de cada indivíduo. Temos biologia (nosso corpo, nosso *hardware*), somos seres psicológicos, temos alma, nosso *software*, e vivemos em sociedade.**

Somos seres biopsicossociais, como já diziam os velhos professores de psiquiatria quando ainda não sabíamos bem o que isso significava. Somos complexos, e não adianta simplificar ou subestimar a importância de todas as variáveis envolvidas em cada ação e em cada forma de ser e de sentir. Cabe, isso sim, tentar caminhar na direção de progressivos esclarecimentos, sempre usando um vocabulário singelo e próprio a todos, já que o assunto é de interesse universal e multidisciplinar. **Em psicologia não é necessário complicar mais as coisas buscando erudição ou retórica; o tema, por si, já é bem difícil de ser trabalhado e o que não faltam são reentrâncias.**

Essas observações, que parecem fora de contexto, têm por objetivo tentar afrouxar ainda mais a inveja entre os sexos, o que parece estar se atenuando nos dias que correm. A regra é que as pessoas não gostam de ser explícitas em relação à inveja que sentem, de modo que a camuflam por meio de brincadeiras de mau gosto ou então arrumam uma briga por motivos fúteis. É assim que ainda vivem muitos casais, desconfiados um do outro porque não entendem as diferenças — não entendem e não as aceitam. Toda hostilidade "gratuita" corre por conta da inveja — não creio que existam ações agressivas a não ser em casos excepcionais e patológicos. Na inveja a ação agressiva efetiva não existe, mas é encarada como fato por aquele que se sentiu por baixo. Ele acaba reagindo com agressividade, esta sim visível, ainda que tente disfarçar sua verdadeira causa.

Casais brigam e sabotam um ao outro por causa da inveja recíproca que nem sempre é clara para eles. Irmãos brigam por conta de rivalidades que misturam ciúmes e inveja o tempo todo. Amigos se afastam quando crescem as diferenças entre eles, e essa talvez seja a forma mais saudável de manifestação da inveja — afastar-se antes das manifestações agressivas. Cole-

gas de trabalho não podem ser amigos porque são concorrentes e o sucesso de um é a humilhação do outro. Tudo parece armado para que sejamos governados por esse sentimento que nos afasta uns dos outros e predomina largamente sobre os sentimentos que nos unem. Tudo isso é decorrência de nossa biologia, posto que queremos sempre nos destacar.

Romper esse ciclo hostil parece difícil mas conveniente, pois ele determina grande tendência para a solidão — um sofrimento grande que nos afasta da paz e serenidade que tanto buscamos. Entrar nesse mundo competitivo de forma radical é condenar-se ao sofrimento mesmo quando se atinge grande sucesso. Não é difícil perceber a mão dos processos autodestrutivos por trás de tudo isso: nunca possuímos tantas coisas e nunca estivemos tão infelizes!

Viver carregando na alma a hostilidade invejosa pode fazer muito mal à saúde física. Pode provocar crises gástricas, hipertensão arterial, enxaquecas, insônia e mesmo depressão. Vale a pena tentar pensar melhor na questão das comparações e tratar de se conciliar com o que se é: "Conhece-te a ti mesmo" é realmente o que mais interessa. Se quisermos complementar essa frase, podemos dizer assim: "E não se compare, a não ser com você mesmo". O que interessa é saber como você está hoje e como você era há dois, cinco ou dez anos. Se está em evolução, tudo bem. Se não, o essencial é tratar de aprofundar as reflexões acerca de si mesmo e deixar os outros em paz.

O que acontece quando somos objeto de inveja? É possível que o "pensamento negativo" das outras pessoas prejudique nossa felicidade? Estamos diante de uma questão extremamente complexa, que envolve a fronteira entre o que conhecemos e o que se desconhece. Cabe registrar mais uma vez a forte tendência da maior parte das pessoas de negar por princípio a existência de tudo que desconhece e que não cabe em seu sistema de pensamento. Nada é mais estranho ao real pensamento científico do que esse tipo de postura. Já usei o exemplo da telepatia para tratar da dificuldade que as pessoas têm de aceitar a existência do que não entendem. Não temos explicações para o fenômeno, mas ele existe. É possível entortar uma colher com o pensamento? Eu não saberia responder a isso, mas não é impossível que a resposta seja positiva. Freud acharia que não. Jung acharia que sim!

Diante dessas breves considerações, seria precipitado e incorreto fazer qualquer tipo de afirmação, negativa ou positiva, acerca dos efeitos maléficos dos pensamentos destrutivos de uma pessoa em relação a outra. Tais pensamentos não podem ser mortíferos, pois se fossem estaríamos todos mortos! E, quando algumas pessoas pensam destrutivamente e outras construtivamente em relação a uma mesma criatura, existe uma soma algébrica para se chegar a algum resultado? O pensamento positivo das pessoas pode ajudar alguém? Há estudos, inconclusivos, acerca da capacidade de "grupos de oração" para alterar o curso da doença de uma pessoa a quem as preces são dirigidas. Quando o apoio é explícito, parece que existem efeitos positivos: num jogo de futebol, o time que tiver a torcida maior e mais atuante leva alguma vantagem sobre seu adversário; resta a dúvida acerca de ser o "poder" da torcida ou o efeito psicológico aumentando a responsabilidade e a eficiência dos jogadores.

Não creio que valha a pena tentarmos avançar muito, por hora, numa questão assim complexa. O importante é não fecharmos as portas da mente para todas as hipóteses. Voltando ao exemplo das grávidas que não gostam de propagar seu estado por medo da inveja, ressalto que **tal temor existe em quase todas, egoístas e generosas. Ao que tudo indica, elas concordam que o fato de gestar um bebê é uma importante conquista.** Como se trata de uma alegria percebida como real, as mulheres egoístas também sentem o golpe e o temem. Isso confirma minha idéia de que os egoístas não sentem medo da inveja porque não acreditam no valor daquilo que exibem.

Como regra, os generosos têm mais medo da inveja do que os egoístas. Não creio que isso se deva ao fato de serem mais supersticiosos ou místicos ou mais medrosos — o que costuma ser verdade no que diz respeito a confrontações físicas ou situações relacionadas com violência verbal. **Acho que os generosos sentem mais medo da inveja porque estão mais próximos da felicidade, condição na qual se sentem mais ameaçados. São mais serenos, ficam melhor consigo mesmos graças a uma boa auto-estima e se acham moralmente mais evoluídos. Temem a hostilidade**

invejosa, principalmente a que vem dos egoístas, tanto pelas vias sensoriais como pelas extra-sensoriais. Tentam se proteger por meio de um estilo de vida mais discreto. Costumam fazer orações, rituais nos quais pedem proteção e favores e agradecem o que já receberam. As próprias orações já podem indicar a presença de alguma convicção na existência de um "poder do pensamento", algo que nos faria mais facilmente ouvidos pelos deuses. Sentimo-nos mais seguros quando oramos. Tememos as "orações" que possam ser feitas, por exemplo, em um terreiro de macumba onde também se façam "trabalhos destrutivos". Isso acontece porque uma pessoa ofendida ou invejosa pede auxílio a entidades espirituais para a realização de vinganças indiretas. No passado, era a única forma à disposição dos escravos para se vingarem das ofensas que recebiam dos senhores. Esse tipo de religiosidade fundado na inveja está fortemente consolidado e tem um grande número de adeptos.

Generosos têm medo do exibicionismo físico, material e de tudo que possa despertar a inveja. Mas são seres humanos e, portanto, têm vaidade. Aqui ela pode assumir o rumo, curioso e sutil, da busca de destaque pela simplicidade e despojamento, o que também é vaidade (e pode ser muito intensa). Uma pessoa de posses se destaca pelo carro de luxo com o qual desfila assim como pela simplicidade e o despojamento do carrinho com que circula. "Vaidade das vaidades, tudo é vaidade", como está escrito — e repetido várias vezes — no Eclesiastes.

Minha intenção não era a de solucionar a questão da inveja — tanto a direta como a que se manifestaria pela via extra-sensorial —, mas a de abrir o tema à reflexão e sugerir mais uma vez às pessoas que mergulhem no exercício das dúvidas, condição na qual não precisam encontrar respostas precipitadas para o que desconhecem. Temos de aprender a tolerar a discreta ansiedade e insegurança que isso nos provoca.

oito

Seria muita ingenuidade imaginar que o medo da felicidade possa ser resolvido com facilidade. Ele nos acompanha desde o início das grandes civilizações e nunca nos abandonou. Trata-se, pois, de algo instintivo — como se poderia extrair, ainda que de forma indireta, das considerações psicanalíticas — ou de um subproduto de uma experiência precoce, dramática e universal (como defendi ao longo deste livro). O trauma do nascimento pega-nos totalmente despreparados e desprevenidos. Nossa mente incipiente só possuía registros harmônicos. O pavor se estampa no rosto dos recémnascidos e muitos choram bastante ao longo dos primeiros tempos de vida, indício de adaptação difícil às adversidades da vida extra-uterina.

Já me referi às hipóteses mais aceitas, nos dias de hoje, para explicar as conseqüências de médio e longo prazo derivadas de experiências traumáticas. **Elas determinam a liberação de grande quantidade de cortisol (hormônio supra-renal), o que pode provocar alterações cerebrais até certo ponto irreversíveis. A partir disso, cria-se uma espécie de foco que poderá gerar lembranças que reproduzirão, de forma direta ou indireta, o trauma original. Tais reverberações poderão vir** a perturbar nosso cotidiano muitos anos depois. Citei o fato de que não é raro que a experiência traumática fique "encapsulada" e só venha a se manifestar pela primeira vez em uma fase posterior, desencadeada por algum novo conflito, depressão ou mesmo por uma fase muito boa.

A adolescência parece ser o período em que o desdobramento do trauma do nascimento se manifesta pela primeira vez, especialmente nos mais amadurecidos; é desencadeado por conflitos morais, estimulados pela cultura complexa, que tomam conta da alma dos jovens que passam a levar a vida mais a sério. Outros, mais imaturos emocionalmente, começam a perceber suas fraquezas — agora mais visíveis, porque a vida prática torna-se mais exigente — e não sentem muito medo, ou porque têm uma formação moral mais frouxa ou porque costumam sentir-se infelizes.

Quem está acostumado a lidar com pessoas portadoras de sintomas fóbicos (ricas em medos irracionais) sabe como é difícil conseguir uma remissão plena — e mesmo satisfatória — desses quadros em um tempo curto. É preciso grande paciência e muita determinação por parte do terapeuta e do paciente. O fóbico desenvolveu os medos irracionais por força de associações, daquelas que constituem os reflexos condicionados; elas são fáceis de se estabelecer e dificílimas de se desfazer. Isso é comum em psicologia: é fácil se tornar dependente do cigarro de nicotina e dificílimo se livrar dele; é fácil ter uma experiência de fracasso sexual e dificílimo se recuperar dela e voltar a ter a serenidade e naturalidade nas relações sexuais que se tinha antes da experiência negativa; e assim por diante. Os medos mais simples são difíceis de ser superados. Isso vale mesmo para aqueles adquiridos depois de uma certa idade, na qual a razão já está em plena atividade. A razão pode nos defender, ao menos em parte, contra as tendências biológicas, presentes em alguns de nós e que nos tornam mais vulneráveis a associações, como é o caso das pessoas para quem basta uma experiência negativa para que uma fobia se estabeleça. Ou seja, a maior parte de nós, quando adultos, tem defesas racionais para que experiências traumáticas menores, como acidentes de carro ou panes no elevador, não deixem marcas nem criem medos que possam vir a nos atrapalhar. No entanto, as mais vulneráveis podem ficar traumatizadas com experiências assim simples. Que dizer então das associações que se estabelecem a partir do trauma do nascimento, que, com a intensidade de um *big bang*, nos pega despidos de defesas?

Como em todos os problemas relacionados com os medos, é essencial pensarmos um pouco a respeito da coragem. Trata-se de uma força racional, derivada de nossas convicções, que nos permite ir contra um medo que conseguimos reconhecer como ilógico ou irracional. A coragem é uma força que deriva da razão, de modo que não aparece diante de um medo que envolve um risco real. Uma janela num andar alto continuará a nos provocar medo, de modo que não ousaremos ficar com os pés para fora dela a não ser que estejamos treinados para isso. No exemplo acima, algumas pessoas desenvolvem um medo fóbico em relação a tais janelas, só se sentindo seguras quando estão longe dela; a coragem as levaria até a borda, mas não a se sentarem no beiral. A coragem pode nos levar a aceitar a presença de uma barata inofensiva, mas jamais no levará para perto de um leão.

A coragem depende, pois, do conhecimento. O primeiro passo para começarmos a resolver qualquer tipo de fobia consiste em construir uma hipótese explicativa consistente e convincente acerca de como ela se estabeleceu. Minha experiência terapêutica, com mais de oito mil pacientes ao longo de quarenta anos de trabalho intensivo, leva-me a concluir que a explicação que mais se aproxima da verdade costuma ser a mais convincente. E mais: só as explicações convincentes levam a pessoa à ação, ao enfrentamento de um inimigo tão poderoso como o medo. Se ela não foi capaz de iniciar o processo de se opor ao medo, é porque sua razão não está totalmente satisfeita com as explicações que encontrou até ali.

Tais considerações sugerem que não devemos subestimar a complexidade da situação. Os terapeutas que acreditam demais nas próprias teorias poderão enfrentar muitas dificuldades com seus pacientes fóbicos. **O essencial é encontrar explicações convincentes para o paciente, não para o terapeuta!** Ou seja, temos de ouvir muito os pacientes para, juntos, construirmos um conjunto de idéias que satisfaça a eles e os convença a ponto de ativarem a própria coragem. Não devemos desconsiderar a interferência negativa do próprio medo da felicidade no processo terapêutico, já que ele se aliará à fobia que se pretende tratar. Sim, porque ao se livrar daquele obstáculo a pessoa poderá experimentar uma qualidade de vida melhor, o que não interessa a esse sutil inimigo interno.

Se o medo da felicidade é um fator perturbador no tratamento de qualquer fobia, que pensar então de sua influência no tratamento do próprio medo da felicidade, nossa maior e mais antiga fobia? Estamos, é claro, diante de um problema enorme, e não será surpresa se não formos capazes de resolvê-lo por completo a não ser ao longo de algumas gerações.

Acredito que ainda estamos na primeira fase do processo de resolução do medo da felicidade, que é o de tentarmos conhecer ao máximo sua origem e seus fatores desencadeantes, agravantes e atenuantes. Não me surpreendo com o fato de que os avanços têm sido pequenos porque dependemos desse conhecimento para que a coragem cresça e possamos agir de forma mais consistente. **Cada um que se conscientiza de sua existência já ganha algum tipo de defesa contra seus efeitos nocivos.** Pelo menos não se surpreenderá ao se perceber assustadíssimo diante de um envolvimento amoroso promissor, não ficará mais em pânico diante das boas coisas que lhe aconteçam na carreira profissional nem criará um clima de brigas — que poderão chegar até o divórcio — porque está em vias de se mudar para a casa dos seus sonhos.

Cada um que perceber que temos medo da felicidade compreenderá a dualidade em que vivemos. Lutamos muito para chegar perto da felicidade, mas, quando isso acontece, entramos em pânico e tentamos destruir tudo que construímos. Se os jogadores de futebol ou os cantores de rock bem-sucedidos (o que acontece quando ainda são muito moços) souberem que isso pode ativar forças destrutivas muito intensas, talvez ganhem forças para não se deixar afundar rapidamente, mergulhando no inferno das drogas ou de outros vícios.

É possível que o conhecimento que temos hoje não nos impeça de sentir o medo nem de limitar a velocidade com que caminhamos na direção dos objetivos que queremos atingir. Já pode nos ajudar, porém, a evitar muitas das tendências autodestrutivas, aquelas que visam a recuperar a serenidade perdida quando alcançamos o sucesso que tanto havíamos almejado.

Ao sermos capazes de enfrentar as tendências destrutivas e não lhes dar crédito, perceberemos que o medo, aos poucos, se atenuará. Ele é parte apenas do período de transição de uma situação pior para outra melhor — e se manifesta no ápice do prazer. Com calma e coragem nos firmamos no novo patamar e aí o medo cede lugar à serenidade, que volta sem que tenhamos de abrir mão de nada.

Sempre que me perguntam o que faço quando me acontece alguma coisa boa — e que implica alguma

Flávio Gikovate

nova conquista —, respondo que, em vez de ir a um bar comemorar (o álcool parece atenuar o medo da felicidade, mas o faz de forma perigosa porque afrouxa nossa razão crítica), **vou para casa, tomo um tranqüilizante e vou para a cama!** Talvez não aproveite tanto o momento ótimo, mas não o destruo, não o saboto. Nos dias que se seguem, a ansiedade e o medo diminuem e passo a me familiarizar com as novidades. Assim tenho construído minha vida — que, em todos os aspectos, considero bastante bem-sucedida.

nove

Acredito que, graças à paciência e à perseverança, conseguiremos avançar cada vez mais e talvez um dia possamos livrar-nos completamente dessa fobia que nos caracteriza e tanto interfere em nossa forma de ser, pensar e viver. Isso poderá acontecer em decorrência dos avanços da biologia, já que poderemos vir a ser gerados também por meio de uma "gestação" artificial — o que implicaria o fim do trauma do nascimento e de duas de suas principais conseqüências: o medo da felicidade e o anseio romântico de refazer a fusão original que foi perdida de forma abrupta e radical. Talvez também possamos avançar no tratamento das fobias em geral e no entendimento desse trauma específico e dos desencadeantes relacionados com o período da puberdade.

Pode ser que o processo de resolução do medo da felicidade demore mais do que os anos que temos para viver. Ainda que demore, ao chegarmos lá entraremos em outra fase da história da humanidade, uma fase em que a sociedade dará sinais de condutas menos autodestrutivas em relação a ela própria, ao planeta e a cada um de seus membros. Isso, é claro, se chegarmos lá, o que implica a derrota das forças destrutivas e a ausência de algum acidente de percurso — nuclear ou

de outra espécie — que possa vir a interromper de forma radical nosso desenvolvimento como espécie.

O caminho que temos de seguir, de acordo com o conhecimento de que dispomos hoje, consiste em tentar interferir nos dois pontos relacionados com a formação dessa fobia complexa ligada à felicidade: atenuar ou mesmo desfazer as marcas do trauma do nascimento; refletir mais seriamente sobre a questão moral e os sentimentos de culpa. Para atenuar o trauma propriamente dito, o caminho consiste, a meu ver, em tentarmos nos apropriar de todas a informações oriundas das técnicas cognitivo-comportamentais, que têm se mostrado as mais eficientes no tratamento das fobias em geral. A compreensão dos elementos relacionados com dado fenômeno fóbico deverá clarear a questão dentro de nossa mente, de modo que possamos nos encher de coragem para enfrentar as dores relacionadas com o medo que nos freia indevidamente.

As dores relacionadas com os medos fóbicos não devem ser subestimadas. Elas são de intensidade tal que a grande maioria das pessoas foge delas mesmo quando sua superação traria enormes benefícios. Fugimos da viagem de nossos sonhos se formos criaturas com medo de voar. Fugimos desesperadamente das boas relações amorosas porque não suportamos o medo de que algo horrível nos aconteça. Este último é, a meu ver, um dos principais medos a ser enfrentados, especialmente pelas gerações que estão chegando à vida adulta agora. Apesar do "discurso oficial" (ten-

dencioso e covarde) de que a felicidade sentimental determina certa acomodação nas outras áreas da existência — porque a cota de alegrias já estaria preenchida por essa via —, acredito que um bom relacionamento amoroso pode abrir as portas para importantes progressos íntimos essenciais para os tempos atuais. Acredito que as pessoas mais felizes no amor terão menos gosto por um consumismo desvairado e por aceitar todas as outras pressões sociais na direção da infelicidade. A serenidade derivada do aconchego sólido e estável pede menos exibicionismo material. Porém, não acho que as coisas são como cantavam os poetas de antigamente, de que quem está feliz no amor não precisa de nada, que basta uma "casinha de sapé" em algum lugar escondido e singelo. **A serenidade sentimental não resolve os problemas de ocupação, inquietação intelectual, gosto pelas artes, esportes etc. A felicidade sentimental é democrática — todos podem atingi-la — e não implica o fim das outras vontades do indivíduo. Quem pensa assim está sendo influenciado pelo medo da felicidade, que sugere que aquele que tem "sorte no amor" ficará privado de outras conquistas, pois forçosamente terá de ter "azar no jogo".**

Penso da forma oposta, ou seja, que aqueles que encontraram um parceiro sentimental com quem tenham grandes afinidades ganham, ao conseguirem se acomodar a esse novo patamar de qualidade de vida, força e coragem para seguir adiante. Já descobriram que a felicidade não mata — como ela parece se anunciar. Descobriram que o medo se atenua com o passar do tempo e que o avanço conquistado implica se poder viver num patamar muito bom. Isso não provoca acomodação, e sim estimula a busca de novos avanços. Já sabem que o medo reaparecerá a cada novo progresso. Já sabem também que ele não é prenúncio de nenhuma tragédia real e que se atenuará outra vez à medida que o tempo passar.

Se tomarmos isso como uma cadeia evolutiva, ao longo das décadas teremos conseguido realizar a maior parte de nossos sonhos. Como em todos os tratamentos para as fobias, devemos caminhar passo a passo e sem nos entusiasmar demais a cada bom resultado parcial. A euforia e o otimismo exagerado estão sempre a serviço das forças destrutivas que ainda estão dentro de nós e contra as quais temos de lutar cotidianamente. Por hora não conseguimos derrotar definitivamente nosso inimigo; porém, podemos vencer cada batalha de forma isolada.

Estamos neste estágio. Isso é o que podemos pretender hoje em dia. O trabalho que temos de fazer para nos livrar completamente das conseqüências nefastas do trauma do nascimento ainda não se completou. Além disso, temos de lidar muito atentamente com o complexo problema relacionado com os fatores desencadeantes ligados aos sentimentos de culpa. Esse tema é essencial para os mais generosos, a quem a felicidade acena mais de perto. Quanto ao enfrentamento dos medos a que me referi acima, penso que os generosos se saem melhor que os egoístas. Estes últimos, por força da intolerância às dores e frustrações, tenderão a buscar atalhos e fugirão do enfrentamento direto, essencial para a conquista de novos espaços. Para eles, o maior problema será o de conseguir encontrar dentro de si a coragem para enfrentar o sofrimento psíquico inerente ao processo.

A dificuldade que os egoístas têm de encarar o sofrimento íntimo relacionado com o enfrentamento dos medos é de magnitude semelhante à que os generosos terão ao se deparar com a necessidade de aprender a lidar com sentimentos de culpa. Esses últimos sentem que suas conquistas, mesmo as mais democráticas, entristecem de inveja as outras pessoas. Sentem-se egoístas quando desejam determinados benefícios para si. Apesar de admirarem — e invejarem — a coragem dos egoístas de pegar para si tudo que podem, entram em pânico ao serem chamados por esta palavra, o que geralmente os leva a abrir mão de todos os seus anseios em favor de quem os acusou (ainda que indevidamente). **O horror não se justifica, uma vez que quase sempre o generoso é chamado de egoísta por alguém a quem ele negou algum benefício indevido — ou seja, por aquele que é o egoísta.**

A verdade é que uma acusação desse tipo deveria deixar o generoso mais feliz, uma vez que significa que ele está sendo capaz de cuidar melhor de si. Porém, parece que ele se sente mesmo é ofendido, rebaixado. Isso mostra como o sentimento de culpa e a vaidade estão associados e interferem na forma de ser e agir dessas pessoas. A superação desse obstáculo tem sido objeto de inúme-

ras reflexões que venho fazendo ao longo de trinta anos e cuja síntese a que pude chegar representa uma importante parte do livro já citado *O mal, o bem e mais além.*

Acredito que possamos vir a elaborar uma estratégia de avanços progressivos, semelhante à que descrevi para a superação dos medos, dos sentimentos de culpa. A questão, porém, me parece mais complexa, de foro íntimo, posto que envolve também considerações de ordem moral e religiosa que ainda não me vejo em condições de enfrentar de forma genérica — cabendo a cada um se posicionar sobre o tema. Fica apenas a sugestão de que todos os avanços podem se dar por meio de rupturas radicais ou então por intermédio de avanços graduais e sucessivos.

Minhas observações fazem-me crer que as rupturas radicais acontecem quando estamos sujeitos a fatos externos igualmente radicais — perdas amorosas inesperadas, perdas profissionais e financeiras, alguma doença grave, ter de emigrar às pressas por algum tipo de perseguição etc. Em condições normais, o que acaba prevalecendo é a conduta mais humilde e conservadora, que passa por conquistas contínuas que provocam um aumento da auto-estima. Tal reforço íntimo nos dá força para avançar mais um pouco. E assim sucessivamente.

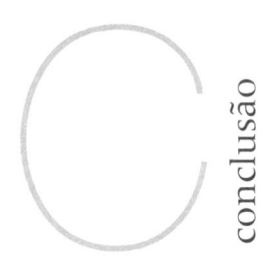

conclusão

Ao terminar este livro experimento uma sensação de bem-estar e também de certa insatisfação. Parece que temos nos dedicado pouco ao medo da felicidade, que está longe de ser irrelevante. Não temos nos empenhado suficientemente no estudo de nós mesmos e de como funciona nossa alma. Muitos dos meus colegas se contentam em repetir pontos de vista e doutrinas que deveriam estar sendo revistos e atualizados com mais vigor e empenho. **A vaidade e arrogância intelectuais tomaram conta de muitos dos melhores espíritos dedicados às ciências humanas. Por força dos enganos que derivam do reinado dessas emoções vãs, afastou-se a grande maioria das pessoas de temas assim essenciais. Elas acabaram indo buscar asilo em outros domínios: nos esportes, nas artes, nas ciências exatas e no trabalho. É urgente retomarmos o interesse pela forma como opera o software que construímos.** Só assim conseguiremos aprimorá-lo com o objetivo de superar o mais rapidamente possível os períodos de adversidade, de viver em paz e de usufruir ao máximo os momentos felizes que nos seja possível conquistar.

Os requisitos básicos necessários para que possamos viver em paz são os seguintes: 1. Maturidade emo-

cional, definida como boa tolerância a frustrações e sofrimentos de todo tipo. **2.** Maturidade moral, ou seja, a superação do egoísmo original sem se deixar levar depois pela trama dos sentimentos de culpa. **3.** Uma razoável saúde física. **4.** Uma atividade profissional capaz de nos entreter e de nos prover das condições materiais necessárias para uma vida digna e confortável. É evidente que tais conquistas não são nada fáceis, de modo que devemos nos empenhar ao máximo para chegar perto dessa condição básica para a felicidade. **Alguns momentos de dor interromperão essa harmonia; isso é compulsório, de modo que o conceito de felicidade deve incluir períodos de tristeza e sofrimento, parte integrante de nossa condição.** A maturidade emocional nos permitirá aceitá-los com docilidade, e a recuperação da sensação de harmonia sempre corresponderá às agradáveis sensações relacionadas com os prazeres negativos. A aceitação dócil e sem rancores permite a total recuperação do estado de harmonia que tanto pretendemos. Sim, porque aquelas pessoas que não aceitam o que já lhes aconteceu ficarão ressentidas, ruminando as mágoas de forma repetitiva, inútil e interminável. Sofrerão muito com o que já passou!

Quando estamos em paz podemos nos colocar diante da vida de forma construtiva e útil. Não sabemos muito bem como proceder, uma vez que a maior parte de nossa energia psíquica costuma estar a serviço de nos proteger contra adversidades, tentando antevê-las e imaginando como reagiríamos caso elas viessem a acontecer.

Trata-se de um empenho inútil, já que a incerteza não pode ser resolvida por meio de reflexões preventivas.

Quando estamos fisicamente bem, podemos — e devemos — usufruir esse estado que nos permite caminhar, praticar esportes, aprimorar as formas do corpo e a força dos músculos por meio de exercícios etc. Isso é muito mais sábio e útil do que ficar pensando, por exemplo, se aquela pequena mancha vermelha no braço poderia ser indício do surgimento de um câncer de pele.

Esse tipo de pensamento destrutivo e inútil faz parte do modo de vida de muitas pessoas inteligentes que tentam usar suas potencialidades para se proteger das adversidades em vez de usá-las para aproveitar a vida. **Tais pensamentos inúteis deveriam ser substituídos por atividades nas quais nosso psiquismo consegue se envolver por completo, em que a vida flui; nessas condições, vive-se a vida em vez de pensar sobre ela.** Todos conhecem as delícias de vivenciar plenamente uma situação. É o que acontece, por exemplo, quando dirigimos uma motocicleta a uma velocidade mais alta, nas "brigas" que temos com o computador que não está se comportando de acordo com o esperado, ao assistirmos a um filme emocionante e capaz de prender totalmente a atenção etc. **Esses correspondem a alguns dos melhores momentos da vida e têm uma característica um pouco triste: neles o tempo voa!**

Muitas são as ocasiões em que temos de vigiar a mente para que ela não escape do controle e nos leve, de novo, para o universo dos pensamentos futuros — o

que é totalmente inútil. Não estou me referindo a fazermos planos, e sim à substituição da realidade serena por fantasias daninhas relacionadas com tudo de ruim que poderá vir a suceder conosco. Caso elas efetivamente aconteçam, sempre nos surpreenderemos com o fato de que lidamos com elas de forma muito melhor do que esperávamos! A verdade é que perdemos tempo e energia sofrendo, em imaginação, por situações que, na prática, somos perfeitamente capazes de gerenciar. Isso ocorre em decorrência da imaginação: ela amplifica tudo. As férias sonhadas costumam ser mais interessantes do que a realidade. Por outro lado, a dor do pós-operatório de uma cirurgia extensa é maior na imaginação do que na realidade. **Não sabemos brincar na vida; não fomos autorizados a isso. Tudo tem de ser sério e difícil, tratado como desafio, disputa, competição, sendo que para os derrotados sobrará a dramática humilhação, além da rejeição social e afetiva. Esse é um dos efeitos da vaidade que toma conta de nós ao longo dos anos da puberdade. Se não tomarmos cuidado, esse sentimento só nos abandonará no leito de morte. Assim, somente as crianças estão autorizadas a brincar.** Crianças, senhores e senhoras aposentados — isto é, aqueles que foram capazes de reaprender a brincar, condição essencial para que tenham uma velhice feliz. Existem, é verdade, aqueles períodos de férias nos quais, ao longo da vida adulta, somos autorizados a brincar como as crianças: podemos ir à praia, jogar futebol sem compromisso de resultado, tomar um drinque durante o dia, sob o sol e sem pensar no tempo perdido, dormir à tarde, gastar horas num jogo de cartas apenas por divertimento etc. Sentimos esses dias como monótonos e repetitivos, mas depois lembramos com saudade a leveza com que foram vivenciados.

Às vezes penso se não poderíamos ter essa mesma disposição diante de nossas atividades cotidianas, indiscutivelmente mais interessantes e diversificadas do que os jogos do carteado. Será que posso estar escrevendo este texto totalmente envolvido, sem pensar em mais nada a não ser nele? Será que posso dispensar todos os pensamentos inúteis do tipo: "Será que as pessoas vão gostar?" Acho que sim. Será que posso ver no meu trabalho como médico uma brincadeira que tem de ser levada a sério? Seria uma brincadeira no sentido de que não devo me preocupar com nada além de fazê-lo da melhor forma possível e tentar me entreter e me enriquecer com as trocas de experiências humanas fascinantes. Acho que tudo pode ser tratado como brincadeira se não implicar competição.

Um jovem adora futebol e é muito bem-dotado para esse esporte. Ele poderá se tornar um jogador profissional e ganhar — e muito bem — a vida por meio do exercício daquilo que mais ama. O que era brincadeira vira trabalho sério, visto por milhões de pessoas e sujeito a dramáticas críticas. Afinal, o que ele faz é trabalho ou brincadeira? Acho que é uma brincadeira que deve ser levada a sério. Levar algo a sério não significa que a brincadeira deixou de existir. Ela termina mesmo quando chegam os elementos competitivos relacionados com a auto-afirmação. Se o jovem atleta for capaz, por exemplo, de se divertir, ganhar a vida com aplicação, mas sem se preocupar muito com a convocação para a seleção, talvez consiga continuar a curtir o futebol mesmo sendo um jogador profissional. Aliás, muitos deles, nas horas vagas, gostam de ir à praia jogar bola com os velhos amigos.

Devemos trabalhar muito nossa subjetividade para que a vaidade não perturbe demais nosso cotidiano, condição básica para que possamos encarar a vida como uma brincadeira — que deve ser levada a sério porque nossos atos repercutem sobre as outras pessoas, e não por causa da vaidade. Temos de nos empenhar ao máximo para não agir com displicência, porque isso pode ser prejudicial às pessoas a quem servimos ou com quem convivemos. Mas isso não tira o caráter lúdico de uma atividade. Precisamos brincar também na vida adulta, e não reservar a ação não competitiva apenas para o começo e o fim. Se formos capazes de encarar o trabalho como brincadeira, talvez nem queiramos nos aposentar.

Assim, viver em paz implica a ausência de grandes dores, mas também a capacidade de levar o cotidiano com alegria, brincando — a sério — de trabalhar, tentando ser construtivo consigo mesmo e com os outros. Devemos pensar na vida quando for o caso: quando somos obrigados porque estamos diante de dilemas que exigem decisões refletidas ou quando estamos conversando a respeito da condição humana com amigos ínti-

mos. Na maior parte do tempo, o ideal é que ela flua, que estejamos mergulhados de verdade naquilo que fazemos, seja o trabalho mais sofisticado ou o mais singelo. Brincar e deixar fluir são ingredientes de uma forma de ser que não exclui seriedade, profundidade ou momentos de reflexão. **Devemos ter horas para viver a vida e outras para refletir sobre ela. Refletir em vez de viver é nocivo à saúde física e mental.**

Não creio que sejam necessárias muitas palavras para descrever a importância do amor e de uma boa vida sexual para que os momentos de felicidade sejam máximos e a paz, gratificante e serena. O sexo perde importância ao longo da vida e o amor, ao menos para os homens, parece se tornar mais relevante — muitas mulheres são diferentes: enviúvam e são muito felizes! O +amor implica aconchego, amizade e intimidade física prazerosa; tudo com a mesma pessoa. Dá medo, mas vale a pena. Requer maturidade emocional e grande autonomia, porque senão o medo predominará, e com razão — sim, porque a dependência muito grande não é algo que devamos aceitar com serenidade. Aliás, do ponto de vista da felicidade, quanto menos dependências tivermos, melhor. Por isso não acho que as "drogas da felicidade" propostas por alguns ficcionistas no passado serão o caminho seguro para as boas conquistas humanas. Serão sempre prêmios de consolação para aqueles que já desistiram de ser felizes por si mesmos.

Uma das coisas mais relevantes na jornada em direção a uma vida feliz é sermos capazes de manter

vivas a inquietação e a curiosidade intelectual. Elas são fonte permanente de aprendizado, prazer que compete em intensidade com o erótico — e mesmo com a vaidade. Quem gosta de aprender se dedica menos ao exibicionismo e tem mais tempo para se deleitar com a serenidade ligada ao fluir da vida e ao clima de brincadeira, e não de competição. A satisfação pessoal aumenta a auto-estima e isso diminui o peso da vaidade em nossa subjetividade, requisito essencial para a felicidade. **A vaidade é um demônio travestido em coisa boa e gostosa: depois que nos deixamos seduzir e envenenar é que percebemos seus efeitos nocivos. A vaidade é perigosa e não raramente joga a favor do medo da felicidade. Este é o "demônio dos demônios" e deve ser procurado em toda parte para que consigamos neutralizar suas ações e não tropecemos justamente nas melhores horas.**

O homem livre, aquele que tem uma razão forte justamente por ter boa auto-estima, pode se colocar de forma original diante de um mundo que nos impulsiona em direções duvidosas. A força motriz da sociedade atual é o jogo econômico, movido pela vaidade e pela ganância de poucos grupos que estão cada vez mais fortes e poderosos. Eles estão completamente cegos e não pensam em nada além dos lucros e da perpetuação de suas posições. Não se interessam pela qualidade de vida das pessoas — nem pela deles próprios, entretidos que estão nessa disputa voraz e desnecessária. Não se interessam sequer pela sobrevivência física do planeta.

A luta contra tais absurdos é uma luta individual: cada um de nós tem o dever para consigo mesmo — e para com o futuro da espécie e do planeta — de escapar dessa armadilha e tratar de construir uma vida digna e coerente com as próprias idéias. Neste momento, a sobrevivência da espécie humana não depende de nossas propriedades genéticas, mas sim da força de nossa razão.

O MAL, O BEM E MAIS ALÉM
egoístas, generosos e justos

REF. 50039
ISBN 85-7255-039-9

"**Os livros de** Flávio Gikovate têm me ajudado a elaborar muitos de meus personagens em novelas. Sua maneira clara e simples de expor complexas e profundas teorias psicológicas traz para o leitor o privilégio de conhecer idéias inéditas sobre o comportamento humano e, principalmente, de se conhecer melhor. *O mal, o bem e mais além* é um exemplo perfeito de tudo isso. Nestes tempos sem ideologia, em que a linha que separa o bem do mal fica cada vez mais tênue, é importante revermos conceitos e partirmos para uma nova era, livres do ranço que acumulamos na cabeça e conhecendo melhor o ser humano que passamos a ser neste mundo globalizado."

SÍLVIO DE ABREU
Autor

"**O livro que** vocês vão ler é a síntese de tudo que fui capaz de compreender a respeito da questão moral observada pela ótica que minha profissão me permitiu. Se ele servir de estímulo e impulso para que voltemos, todos nós, a nos preocupar com a constituição de um conjunto de valores capazes de nos nortear no planeta que temos modificado de forma tão radical, terá cumprido plenamente minhas expectativas."

FLÁVIO GIKOVATE

www.gruposummus.com.br

IMPRESSO NA

sumago gráfica editorial ltda
rua itauna, 789 vila maria
02111-031 são paulo sp
tel e fax 11 **2955 5636**
sumago@sumago.com.br

G R Á F I C A
sumago